ご機嫌うるわしゅう、皆さん。
「どこかの会長と違って
胸も大きい美少女」
藤堂リリシアですわ。
なんと今回、新聞部部長
であるわたく
自ら、生徒達
から寄せられ
た質問を元に
あの珍妙な
行動が目立つ
生徒会メンバー
にインタビューを
行いましてよ。常に
「さらし上げ精神」
を胸に、誇りをもって

「生徒会
の三振」、スタート
ですわ!

生徒会の三振

『私はそんな生温い未来に
惑わされたりしない！
私は……私の正義を貫く！』

『お前が私の配下となると言うのなら、
世界の半分をお前にやろう』

Q.好きなタイプは?
「アカちゃん。それ以外になし」

生徒会の三振

碧陽学園生徒会議事録3

葵せきな

ファンタジア文庫

1455

口絵・本文イラスト　狗神煌

生徒会の三振
碧陽学園生徒会議事録3

【存在《そんざい》しえないプロローグ】

○緊急《きんきゅう》ミーティングのお知らせ

この度《たび》、学園において《企業《きぎょう》》の重役も交えた緊急会議を開くことになりました。

勿論《もちろん》《スタッフ》は全員強制《きょうせい》参加です。欠席は許《ゆる》されません。

議題の詳《くわ》しい内容《ないよう》は、ことの重大さを鑑《かんが》みて、当日会場にて改めて告知致《いた》します。

ただ一言、学園の存亡《そんぼう》、ひいては《企業》の未来に関《かか》わることだということは、承知《しょうち》しておいて下さい。

《企業》の重役様方に失礼のないよう、《スタッフ》の皆様《みなさま》は気をつけて下さい。

この学園内における貴方達《あなた》の力は絶大《ぜつだい》ですが、しかし、それらは全《すべ》て《企業》あってのことということを、忘《わす》れないで下さい。

議題の中には、例の生徒会のこと、そして最近のプロジェクトの不調のことも含《ふく》まれております。

《企業》《学園》に関わる、全ての者達の未来を決める会議です。

《スタッフ》各人はそのことを重く認識《にんしき》し、一層《いっそう》気を引き締《し》めて任務《にんむ》にあたり、そして、会議に臨《のぞ》んで下さい。

では、具体的な日程《にってい》と会場ですが——

【第一話～変身する生徒会～】

「団結力《だんけつりょく》というものは、時に全ての悪を打破《だは》するのよ！」

会長がいつものように小さな胸《むね》を張《は》ってなにかの本の受け売りを偉《えら》そうに語っていた。

今回の名言に、俺《おれ》の隣《となり》に座《すわ》る元気少女・椎名深夏《しいなみなつ》がノリノリで応《おう》じる。

「おお、その通りだぜ会長さん！　正義《せいぎ》の絆《きずな》は、何よりも強い！」

どうやら「熱い要素《ようそ》」好きの深夏の心に火をつけたらしい。理由無くその場でシャドーボクシングを始めてしまった深夏を満足げに見ながら、会長……ちびっこ生徒会長桜野《さくらの》くりむは「うむうむ」と頷《うなず》く。

副会長である俺、杉崎鍵《すぎさきけん》は、早速脱線《さっそくだっせん》気味の状況《じょうきょう》を、それとなく修正《しゅうせい》にかかる。

「それで、今日は……確《たし》か、夏休み前の全校集会でやる『出し物』の話し合いですよね。毎年恒例《こうれい》の、生徒会役員による寸劇《すんげき》……でしたっけ」

「そう！　それの話！」

会長は少し背伸《せの》びしつつ、ホワイトボードに「出し物について」と記す。

それを眺《なが》めて、俺の目の前にいる書記で三年の知弦《ちづる》さんが、「ふぅ」と物憂《ものう》げな溜息《ためいき》を漏《も》らす。いつも不敵《ふてき》な彼女には珍《めずら》しいことだったため、俺は首を傾《かし》げた。

「どうしたんですか、知弦さん？　俺への恋煩《こいわずら》いでもこじらせましたか？」

「キー君……。まあ、それでもいいわ。好きよキー君。スキスキスキスキ。一万年と二千年前ぐらい前から、多分好きよ。あぁキーくぅん」

「わーい！　知弦さんが落ちたー！　わーい！……って、喜べないですよ！　そんな無表《むひょう》情《じょう》であしらわれても！」

「でしょうね。はぁ」

「で、実際《じっさい》はどうしたんです？」

「いえね。例の恒例の出し物よ……。私は去年もやったんだけどね。アレは……ちょっと、憂鬱《ゆううつ》なのよ」

「去年？　ええと……よく覚えてないんですけど、どんなことやってましたっけ？」

俺がそう返すと、知弦さんは更《さら》に深く嘆息《たんそく》して、苦笑《くしょう》する。

「まあ、見る方はそんなもんよね。去年は……生徒会のメンバーで、『健《すこ》やかなる学園生活』っていう、寸劇をやったわ。内容は……教習ビデオみたいな退屈《たいくつ》なものよ。ああいうくっさいセリフを大真面目《まじめ》に言うのは……」

「ああ、知弦さん的には辛《つら》そうですね、それ」

容易《ようい》に想像《そうぞう》出来た。普段《ふだん》大人なキャラの知弦さんが、イマドキ小学生でも言わないようなくさいセリフを大真面目に言わなければいけないのだ。まあ、唯一《ゆいいつ》の救いは、皆《みんな》大して寸劇を鑑賞《かんしょう》してない点だが。

知弦さんが疲《つか》れた表情をしていると、深夏の妹で会計の真冬《まふゆ》ちゃんが、控《ひか》えめに俺に質《しつ》問《もん》してきた。

「でも、どうして生徒会による寸劇が毎年恒例なんですか？」

心からの疑問《ぎもん》らしい。キョトンと可愛《かわい》らしく首を傾げている。

「ああ、それは、生徒会が人気投票で決まっているからじゃないかな」

「というと？」

「ほら、今年もそうだけど、基本《きほん》美少女コミュニティだろう、生徒会。だから、人気高い美少女達がステージで立ち回るの、見たいヤツらが多いんじゃないかな」

「はぁ……なるほど」

真冬ちゃんは納得《なっとく》したようなしてないような微妙《びみょう》な表情をする。

深夏が着席しながら補足《ほそく》した。

「まぁ、それもあるっちゃあるけどな。元は、折角《せっかく》の『明日から夏休み！』って時に堅《かた》い挨拶《あいさつ》ばっかりってのも芸がないって考えた昔の生徒会が、ちょっとしたイベントとしてやってみたのがキッカケらしいぞ。んで、前生徒会がやったことってのは、次の代も大体マネするから……」

「ああ、いつの間にか伝統《でんとう》になっちゃったんだね」

「そういうこと。だから別にやらなくても問題はねぇんだが……」

深夏がそこまで言ったところで、俺は「何を言う！」と勢《いきお》いよく立ち上がる。

「美少女がステージ上で脚光《きゃっこう》を浴びる折角の機会！　やらなくて問題ないわけがない！」

「お前、去年は注目してなかったんじゃねーのかよ」

「去年の今頃《いまごろ》は色々余裕《よゆう》なかったからな！　しかし、今年は別！　俺のハーレムメンバーがスポットライトを浴びる……その機会を逃《のが》してなるものか！」

俺は全力でそう主張《しゅちょう》する。しばし、生徒会メンバー全員から冷たい視線《しせん》と沈黙《ちんもく》を浴びせられた後、ぽつりと、会長が呟《つぶや》いた。

「……今年は、杉崎も出る側だけど？」

「…………」

「つまり、客視点でゆっくり私達を鑑賞している暇《ひま》とか、ないわよ」

「な……なにぃぃぃぃぃぃぃぃい!?」

ガックリとうな垂《だ》れる俺。……なんてこった。生徒会に在籍《ざいせき》しているばかりに、生徒会が主催《しゅさい》するイベントを素直《すなお》に楽しめないとは……。

「なんというジレンマ！」

「はいそこ、無駄《むだ》に叫《さけ》ばない。とにかく、今回の演目《えんもく》について話し合うわよ」

会長が淡々《たんたん》と会議を進める。悶《もだ》えていても仕方ないため、俺もしぶしぶ会議に加わる。

まあいい……リリシアさんにでもビデオ撮影《さつえい》を依頼《いらい》しよう。ハイビジョンで。

「差し当たっては、演目を決めたいのだけど……」

「あれ？　会長、いつもみたいに『これやるわよ！』って来ないんですか？」

珍《めずら》しい。普通に会議で方向性《ほうこうせい》を決めようだなんて……。

俺の疑問に、会長は「ううん」と眉根《まゆね》を寄《よ》せて唸《うな》った。

「特にやりたいことないっていうか……」

「？」

妙《みょう》にハッキリしない会長を見かねて、知弦さんが補足《ほそく》する。

「アカちゃんも、私と同様、そもそもあんまり乗り気じゃないのよ。去年、アカちゃんは台本覚えるのに苦労したからね」

「ああ、なるほど」

どうりで、今ひとつやる気がないわけだ。

会長は一つ嘆息《たんそく》すると、気持ちを切り替《か》えるようにして、全員に呼《よ》びかけた。

「そういうわけで、なんかやりたいことある人ー。私や知弦からは特に何もないし、こだわりもないから、好きな方向性のこと言っていいよー」

「じゃあ、俺のハーレムサクセスストーリー――」

「杉崎以外」

「…………」

一瞬《いっしゅん》で会議から弾《はじ》かれてしまった。……くそ、もっとオブラートに包めば良かった！

しかしこうなると、調査《ちょうさ》対象は二人しかいない。椎名姉妹《しまい》。

真冬ちゃんが、「じゃあ」とパァっと顔を輝《かがや》かせる。

「ボーイズラ――」

「深夏、貴女《あなた》だけが頼《たよ》りよ」

「…………」

真冬ちゃん、一人でずーんと沈《しず》んでいた。……あの子、最近、ますます俺の立ち位置に近付いてきたな。

指名され、深夏は「そうだなぁ」と腕《うで》を組む。しばしの黙考《もっこう》の後、深夏は再《ふたた》び立ち上がり、胸《むね》を張《は》って告げる。

「戦隊モノっていうのは、どうだろう！」

『戦隊モノ？』

深夏以外の四人が、ハモッて首を傾《かし》げる。深夏は「そう！」と意気揚々《ようよう》と提案《ていあん》した。

「ほら、日曜の朝からテレビでやってるやつ！『○○レンジャー』的な！」

「え……と」

会長がちょっと表情《ひょうじょう》を引きつらせている。いくら意見が無いとはいえ、その演目には抵《てい》抗《こう》があったのだろう。俺や知弦さん、真冬ちゃんも同様の表情をしていた。

代表して俺が深夏に意見する。

「いや……流石《さすが》に、高校生にもなってヒーローショーは……」

「そんなこと言ったら、去年までの生徒会の演目だって茶番じゃねぇか！」

「う……」

今回の深夏には妙な気迫《きはく》があった。思わず押《お》し切られる。

「こういうのは、大袈裟《おおげさ》なぐらいが丁度いいんだよ！それに、生徒会のこの五人での戦隊モノ……確実《かくじつ》に生徒の目を引くんじゃねーかな！」

「…………」

四人、顔を見合わせる。……なんか、妙に、反論《はんろん》しようの無い意見だった。しばらくアイコンタクト会議を行うも、しかし、深夏の「じゃあ他にいい意見あるのかよ！」という言葉でトドメを刺《さ》されるカタチとなり、結局、全員同意してしまう。

「よっしゃ！　じゃあ、戦隊モノで決まりな！」

『……はぁ』

深夏が一人テンション上がり続けている中、俺達は溜息《ためいき》を漏《も》らした。……いや、悪くはないんだけど……。この歳《とし》でヒーローショーを堂々とやるのは、中々精神《せいしん》的にクるものがある。

しかし、そうは言っても、決まってしまったからには仕方ない。皆《みんな》も前向きに考えることにしたらしく、とりあえず、戦隊モノは戦隊モノでも、内容《ないよう》のクオリティを上げようという方向性で会議が動き始めた。深夏は、常《つね》にご満悦《まんえつ》である。

会長が、会議を仕切る。

「ええと……じゃあ、戦隊モノでいくとして。とりあえず、タイトルを決めましょうか」

「タイトルねぇ……」

正直、戦隊モノに造詣《ぞうけい》が深くない俺達はまたここで止まってしまったが、しかし、やはり、深夏だけは違《ちが》った。ノリノリでタイトル案を出してくる。

「そんなもん、『生徒会戦隊　ガクエンジャー』で決定だろ」

「おい、勝手に決定するなよ！」

「なんだよ、鍵。なんか文句《もんく》あるってのか？」

「文句っていうか……。じゃあ一つツッコムが、生徒会と学園だと、学園の方が大きいのだから、『学園戦隊』の方が、なんとなく正しくないか？　ほら、『栃木戦隊　スペースレンジャー』みたいな違和《いわ》感？」

「でも逆《ぎゃく》にすると、『セイトカインジャー』っつう、妙に語呂《ごろ》悪いヒーローだ」

「う……。じゃ、じゃあ、そもそも、学園とか生徒会とか入れずにいこうじゃないか」

「例えば？」

「そうさなぁ……」

俺は宙《ちゅう》を眺《なが》めしばし試行錯誤《さくご》し、そして、名案が閃《ひらめ》いたので、告げる。

「美少女戦隊　ラブレンジャー」

『…………』

全員からドン引きされました。

「杉崎……そのセンスの無さは、異常《いじょう》だと思う」

「キー君……キミはもうちょっと出来る子だと思っていたのに……」

「先輩《せんぱい》……キモイです」

「悪かったよ！　ああ、自分でもラブレンジャーはどうかと思うさ！　で、でも、美少女戦隊はいいだろ！」

「よくねぇよ」

半眼《はんがん》の深夏にツッコまれる。

「いや、凄《すご》くこの集団《しゅうだん》を的確《てきかく》に表しているじゃないか！」

「お前も入っているだろう！」

「そこはほら、女装《じょそう》したり！」

「それでも、却下《きゃっか》だ却下！　それは『萌《も》え』であって、『燃《も》え』じゃねえ！　戦隊モノに『萌え』を持ち込《こ》むなかれ！」

「なんだよー。いいじゃないかよー」

ぶーぶー文句を言いながらも、引き下がる。まあ、俺も元々通るとは思っていない。

そんな、全員が「やれやれ」と呆《あき》れる中、ぽつりと、小さな声で、真冬ちゃんが呟《つぶや》いていた。

「BL戦隊　ヤオ……やっぱりいいです」

『…………』

本人は撤回《てっかい》したつもりだろうが、全員、彼女が何を言わんとしていたのかは分かっていた。真冬ちゃんは、照れを隠《かく》すように顔を逸《そ》らし続ける。……まあいい。

「会長さんや知弦さんは、なんか意見あるか？」

すっかり深夏が仕切り、会議を再開《さいかい》する。二人は顔を見合わせ、そして、ふるふると首を横に振《ふ》った。そして、知弦さんがまとめるように告げる。

「『生徒会戦隊　ガクエンジャー』でいいんじゃないかしら。別にそこまで拘《こだわ》る必要もないでしょう」

「そうね。私も異議《いぎ》なし」

二人の賛成《さんせい》を受けて、深夏は満足そうに微笑《ほほえ》む。そしてそのまま、彼女を中心に会議は進行された。

「ええと……じゃあ次は、配役あたりか？」

「シナリオが先じゃね？」

「ああ、そうか。……でも、シナリオっつっても何も指針《ししん》ねぇから、先に、登場人物から固めてもいいんじゃねーか？」

「ん、まあ、そうだな、確《たし》かに。寸劇《すんげき》なんだし……凝《こ》った話にはならないだろうから、設《せっ》定《てい》さえ固めちゃえば、押し切れるかもな」

「だな。んじゃ……まず、リーダーたるレッドはあたしだな！」

深夏は元気良く立候補《りっこうほ》する。俺は妥当《だとう》なところだと思ったが、しかし、ここで、障害《しょうがい》。

「ちょっと待ちなさい！　レッドは生徒会長たる私でしょう、常識的に考えて！」

会長である。元々乗り気じゃなかった割《わり》には……こういうところは、譲《ゆず》れないらしい。

ここにきて自分のプランが邪魔《じゃま》された深夏は、如実《にょじつ》に口を尖《とが》らせる。

「えぇー。会長さんより、絶対《ぜったい》あたしの方がレッドの器《うつわ》じゃねーかー」

「いいえ！　リーダーよリーダー！　この生徒会のリーダーと言えば、私でしょう！」

「やだよー、ちびっこいレッドなんて」

「身長関係ないでしょ！」

「ほら、キャラ的にもあたしが合ってるだろ。熱血のレッド！」

「わ、私だって、情熱《じょうねつ》のレッド！」

「会長さんのは……情熱の赤っていうより、『赤ちゃんの赤！』っていう感じだよな。そういう意味では、確かに、レッドが似合《にあ》っているけど……」

「うっ！　な、なんてことを！　とーにーかーく！　レッドは私！　これは譲れないんだから！」

「うぅ……仕方ねぇなぁ」

会長の頑固《がんこ》さに、遂《つい》に深夏が折れる。……大人だ……深夏。

会長が満足げにふんぞり返る中、俺は深夏に声をかけた。

「じゃあ、他、どうするよ。深夏は赤以外で何やりたいんだ？」

「うぅん……あたしの中ではレッドしか候補《こうほ》なかったから、よくわかんね。とりあえず他メンバーから決めちゃおうぜ」

「まあいいけど。じゃあ……真冬ちゃんとか」

そう言って、皆《みんな》で真冬ちゃんを見る。彼女は「ほぇ？」と首を傾《かし》げていた。……ボーイズラブ小説を読みながら。その瞬間《しゅんかん》、全員で告げる。

『ピンク』

「ふぇ？　ふぇ？　ふぇ？」

混乱《こんらん》する真冬ちゃんに、深夏が微笑《ほほえ》む。

「よし、真冬！　お前は、ガクエンジャーピンクだ！」

「え？　そ、それはいいけど……どうしてピンク？」

「そんなの、当たり前だろう」

「？」

一拍《ぱく》おき、断言。

「常《つね》に脳内《のうない》が桃色《ももいろ》だからだ」

「ええ!?」

真冬ちゃんがショックを受けていた。次の色決めにかかろうとしている深夏に、「ま、待って！」と慌《あわ》てて抗議《こうぎ》する。

「そ、そんな不名誉《ふめいよ》なピンクはいや！」

「でも決定したし……」

「うぅ……そ、そんなこと言ったら、杉崎先輩《せんぱい》だって、ピンクじゃないですか！」

「ああ……まあ、でも、アイツの脳内は最早《もはや》そんな生易《なまやさ》しい色じゃねーしな」

「どんな色⁉」

「とにかく、お前はピンクだ。頑張《がんば》れ、真冬！」

「うぅ……」

落ち込む真冬ちゃんを尻目《しりめ》に、深夏は、次のキャラ設定《せってい》に移《うつ》る。

「じゃあ次は知弦さん――」

「……？　どうしたの、深夏」

知弦さんのキャラ決めに移ろうとした時だった。深夏は言葉を止めてしまう。知弦さんは不思議そうに深夏を見ていたが、俺にもその理由は理解《りかい》できたので、「ああ」と納得《なっとく》する。会長も、落ち込み中の真冬ちゃんも、同様に理解しているようだった。

ただ一人、知弦さんだけが首を傾げているが、深夏はさっさと話を進める。

「さて、知弦さんは黒でいいとして……」

「ちょっと待ちなさい」

深夏の発言に、知弦さんがつっかかる。深夏の代わりに、俺が、知弦さんに応《おう》じた。

「どうしたんですか、知弦さん」

「ど、どうしたじゃないわよ！」

「何よ、知弦。さっさと会議進めちゃおうよ」

「アカちゃんまで！　いえ、おかしいでしょう、これ！」

「どうしたんですか、紅葉《あかば》先輩。別におかしいことはないと思いますけど……」

「……貴女達《あなた》……」

知弦さんは、そこで、ガックリとうな垂《だ》れ、ぶつぶつと呟《つぶや》く。

「そう……私って、やっぱり、そういうキャラ認識《にんしき》なのね……。ふふふ……いいわよ、別に。自分でだって、ピンクやオレンジが似合《にあ》うだなんて思っているわけじゃないもの。だけど……だけどね、私だって、一応は女の子——」

「さて、次は鍵の色だなー」

「…………」

知弦さんはすっかり落ち込んでしまっていたが、気にせず、会議を続ける。

深夏が「何か希望あるか？」と訊《たず》ねてきたので、俺は、少し考えて返す。

「通常《つうじょう》だと……残りは、青、緑、黄、モノによっては白あたりか」

「だな。最近はゴールドやらシルバーやらプラチナやらもたまにいるけど」

「ううむ。なんかこう、意外性《いがいせい》があるのがいいな。注目浴びるのが」

「どんなのだ？」

「『ゼブラ』とか」

「だせぇよ！　シマウマの化身《けしん》じゃねえかっ！」

「じゃあ……『レインボー』とか」

「なんかキモイだろ！　皮膚《ひふ》に毒持ってそうだぞ、おい！」

「駄目《だめ》か……。じゃあ……『スケルトン』」

「わいせつ物陳列罪《ちんれつざい》だ！」

「カッコいいのに……スケルトン。俺、脱《ぬ》いだら凄《すご》いんだぜ？」

「知るか！　誰《だれ》も望まねぇよ、お前の裸体《らたい》！」

「じゃあ、スケルトンは深夏に譲《ゆず》るよ」

「いらねぇよ！　どさくさに紛《まぎ》れてあたしを裸《はだか》にしようとすんな！」

「仕方ない……。じゃあ俺は……『ステルス迷彩《めいさい》』でいいよ。透明《とうめい》人間化するやつ」

「んなもん渡《わた》したら絶対《ぜったい》に悪用するだろう、お前！」

「ちゃんと劇《げき》も出るし、メ○ルギアの破壊《はかい》にも貢献《こうけん》するから」

「出ても客から見えねぇし！　メタル○アの破壊は他の主人公の役目だ！」

「もういいよ。妥協《だきょう》するよ。『南国の澄《す》み切った風を体一杯《いっぱい》に浴び、打ち寄《よ》せる静かな波音をただただ聴《き》いている際《さい》の、爽《さわ》やかな心の色』でいいよ」

「わかんねぇよ！　ちゃんと指定しろよ！」

「つまり、『鮮血《せんけつ》の紅《あか》』だな」

「どうしたらその状況《じょうきょう》でそんな色の気持ちになるんだよ！　浜辺に惨殺《ざんさつ》死体でも散乱《さんらん》してんのかっ！　そして、赤は既《すで》に埋《う》まってる！」

「しゃあない……じゃ、いいよ、青で。『魅惑《みわく》の青』で」

「魅惑とかいらねぇから！……はぁ。じゃあ、理由はともあれ鍵はブルーな」

疲《つか》れたようにしながら、深夏が認定《にんてい》する。

さて、残りは深夏自身だけだ。俺は彼女に訊ねた。

「で、深夏はどうする？　黄とか緑とかにするのか？」

「いや……鍵じゃねぇけど、なんかしっくり来ねぇなぁ。地味で」

「スケルトン？」

「それは選択肢《せんたくし》にさえねぇよ！……しかし、どうすっかなぁ」

「軍服でいいんじゃね？」

「なんで一人だけリアル兵士なんだよ！」

「武器《ぶき》はマシンガンとサバイバルナイフ。敵《てき》を蜂《はち》の巣にしたり、喉《のど》を掻《か》っ切ったり」

「ヒーローの戦い方じゃねえし！」

「トドメは敵怪獣《かいじゅう》の口の中に手榴弾《しゅりゅうだん》を押《お》し込《こ》む必殺技《ひっさつわざ》、『木《こ》っ端《ぱ》微《み》塵《じん》アタック』」

「トラウマもののヒーローショーになるわ！」

「まあ、冗談《じょうだん》はこれぐらいにして。どうするよ」

「……そうだなぁ」

深夏は腕《うで》を組んで唸《うな》り続ける。知弦さんが「別にそこまで悩《なや》まなくても……」と呆《あき》れていたが、深夏にとっては、大事なことらしい。

彼女はしばし考えに考え、結論《けつろん》を出した。

「仕方ねぇ。調和を考えて、無難《ぶなん》に黄色でいくよ」

「おお、深夏が大人だ」

ちょっと意外だったので、驚《おどろ》く。深夏は「まあな」と胸《むね》を張《は》っていた。

「自身の中で無理《む り》矢理《や り》納得《なっとく》させてみた」

「そりゃまた、どうやって」

「裏設定《うらせってい》を作った」

「裏設定？」

俺達が首を傾《かし》げると、深夏は、その裏設定を淡々《たんたん》と語り始めた。

『長い戦いだった。神魔戦争《じんま》。神と悪魔の間で二千年に亘《わた》って続いたその戦乱《せんらん》は、今、ようやく、終わりの時を迎《むか》えようとしていた。悪魔側の勝利というカタチで。

史上最悪の魔物『グルリエル』。悪魔側の持ち出した最終兵器は、全《すべ》ての因果《いんが》を破壊しつくすほどの、神をも凌駕《りょうが》する『化物』だった。

最早《もはや》神々に、対抗手段《たいこうしゅだん》はなかった。全ての聖武具《せいぶぐ》は悉《ことごと》く破壊され、全ての英雄《えいゆう》は例外なくその顎《あご》に噛《か》み砕《くだ》かれた。

もう、神々は疲弊《ひへい》しつくしていた。万物《ばんぶつ》の創造《そうぞう》を可能《かのう》とする神々をもってしても、圧倒《あっとう》的な『破壊』の暴力《ぼうりょく》の前には、なす術《すべ》もなかったのだ。

しかし。

そんな世界の終末に、ある、一人の『人間』が立ち上がった。

絶望《ぜつぼう》する神々の目の前で、史上最悪の魔物『グルリエル』を一撃《いちげき》で葬《ほうむ》り去った人間。

そう。

彼女こそが、『黄の黎明《れいめい》・椎名深夏』。又《また》の名を……ガクエンジャーイエロー！』

そこまで一息で語り、深夏が、とても充実《じゅうじつ》した表情《ひょうじょう》を俺に向ける。

「どうだ、鍵！」

「どんだけ強《つえ》ぇんだよ、イエロー！　最早、イエローの領分《りょうぶん》じゃねえよ、なんか！　もう単体で成り立っているよ！　レンジャー組む必要性《ひつようせい》がねぇよ！」

「いいんだ……こういう裏設定があると思っておけば、うん、あたしは、イエローで満足出来る！」

「いいけどさ！　別にいいけどさ！」

他メンバーも、ぽかーんとしていた。

……まあ、そんなこんなで、とりあえず配役は決まった。あとは、シナリオさえ決まれば、大まかな方向性は決まって、後はどうとでもなるが……。

会長が、一旦《いったん》仕切りなおす。

「とにかく……肝心《かんじん》なのはお話よ。戦隊モノということは、悪者出てきて、戦って、勝利して、大団円《だんえん》で終わり……っていう流れなんでしょうけど」

知弦さんが、それに頷《うなず》き返す。

「そうね。あとは、そこに生徒会ならではの味付けをすれば完成でしょうけど……それが、難《むず》しいのよね」

知弦さんの言葉に、全員で一斉《いっせい》に頷く。

言葉にするのは簡単《かんたん》だが、「自分達らしいアレンジ」というのは、実際《じっさい》具体的に考えようとすると、なかなか大変だ。

全員が腕《うで》を組んで悩《なや》む中、この中では多分一番シナリオ作成が上手《うま》いであろう真冬ちゃんが、おずおずと意見する。

「例えば、この場合の悪者っていうのは、生徒会が戦うものですから……風紀を乱《みだ》す生徒、とかでしょうか？」

その真冬ちゃんの質問《しつもん》に、会長が複雑《ふくざつ》そうに表情を歪《ゆが》める。

「それが単純《たんじゅん》で分かりやすい構図《こうず》だけど……流石《さすが》に、不良生徒とは言っても、我《わ》が校の特定の生徒を生徒会が倒《たお》すっていう設定《せってい》は……」

「あ……それはそうですね。じゃあ……」

真冬ちゃんが次の意見を探《さぐ》っているところで、俺からも、提案《ていあん》してみる。

「じゃあ、皆《みんな》で美少女を襲《おそ》うっていうのはどうでしょう！」

「杉崎のは、なんかもう、ツッコミで修正《しゅうせい》できるレベルじゃないわよ！」

そこに、知弦さんも意見する。

「それじゃあ、裸《はだか》で校内を徘徊《はいかい》していた男を、鞭《むち》を装備《そうび》したガクエンジャーがビシバシ叩《たた》き続ける……っていうのはどうかしら」

「完全に趣味《しゅみ》に走っているよねぇ、知弦！」

更《さら》には、深夏まで参加する。

「炎髪灼眼《えんぱつしゃくがん》の生徒会役員が、存在《そんざい》の力を食い荒《あ》らす化物を退治するっていう……」

「そのストーリーラインは、何かの許可《きょか》をとらなきゃいけない気がするわ！」

そんなわけで、全く話が進まない。

「意外と……敵《てき》の設定は難《むずか》しいわね」

会長がそう呟く。確《たし》かに……これは案外盲点《もうてん》だ。

「でも会長。逆《ぎゃく》に考えれば、敵さえ決まれば、目的も決まって、ストーリーの大まかな流れも決まるんじゃないでしょうか」

「それはそうね」

「ここはやはり、美少女を敵に据《す》えて、壮絶《そうぜつ》なバトルでどんどん肌《はだ》を露出《ろしゅつ》していく展開《てんかい》で……」

「杉崎は基本《きほん》的にシナリオ構想《こうそう》がエロゲ寄《よ》りなのよ、なんか！」

「ほら、美少女すぎて風紀を乱す、けしからん猥褻《わいせつ》な女の子をこらしめるんですよ！」

「それ以前に、まず杉崎を排除《はいじょ》することから始めたいわ！」

「じゃあいいです。もういいですよ、敵は破壊神《はかい》で」

「投げやりな割《わり》に敵が壮大よ！　どうして生徒会が戦わなきゃいけないのよ！」

「誰《だれ》かがやらなければいけないことなんですよ……会長」

「少なくとも私達の役割ではないと思う！」

「美少女か破壊神の二択《にたく》ですね」

「なんでそんな極端《きょくたん》な二択なのよ！　むしろその二つは外せるわよ！」

「えー、破壊神も外しちゃうのかよー」

「深夏まで残念そうにしない！」

会長と俺達《おれたち》がそんな応酬《おうしゅう》をしていると、知弦さんが、「これじゃ埒《らち》があかないわね……」と呟《つぶや》く。真冬ちゃんも「まったくです」と少し憤慨《ふんがい》気味だった。

知弦さんと真冬ちゃんは、俺達を尻目《しりめ》に、自分達はさも常識人《じょうしきじん》ですと言わんばかりの態度《たいど》で、勝手に話を進める。

「とりあえず、ここは裸の美少年二人が絡《から》み合っているところを、みんなで言葉責《ぜ》めにするという設定で通しておきましょう、真冬ちゃん」

「そうですね。真冬も、このまま決まらないよりは、それでいいと思います」

『ちょぉっと待てぇい！』

俺、会長、深夏は慌《あわ》てて口論《こうろん》をやめて、そっちの阻止《そし》にかかる。

……結局、そんなこんなで、やっぱり話が進まない。長い不毛な議論《ぎろん》の末、最終的には深夏が「もう、定番でいいんじゃねぇか……」と妥協《だきょう》したことにより、結局「学園に怪人《かいじん》が現《あらわ》れる→ガクエンジャー出動→撃破《げきは》」でいくことにした。怪人の正体は不明。

「な、なんか、妙《みょう》にスッキリしないヒーローショーですね……。怪人さん、何者だったんですか……」

真冬ちゃんが、プロットをメモりながら呟く。

俺は、執筆経験《しっぴつけいけん》を活《い》かして、勝手に脳内《のうない》でショーの締《し》めを想定してみた。

「『怪人による学園の危機《きき》は、ガクエンジャーの活躍《かつやく》により退《しりぞ》けられた。しかし、油断《ゆだん》してはいけない。怪人は今も、キミ達を物陰《ものかげ》からこっそり窺《うかが》っているのかもしれないのだから……』……END」

「後味悪ぃ！」

深夏が叫《さけ》ぶ。皆《みんな》も苦笑いなので、仕方なく、無理矢理《むりやり》ハッピーエンドに持ち込んでみることにした。

「『怪人は去った。ガクエンジャーの活躍により、この学園には恒久《こうきゅう》の平和がもたらされたのだ。草木は鮮《あざ》やかに芽吹《めぶ》き、人々の間には笑《え》みが絶《た》えず、争いなどカケラもない。

……学園はその後一万年に亘《わた》って、ユートピアと呼《よ》ばれたのであった』……END」

「ガクエンジャー、どんだけ活躍してるのよ！」

会長にツッコまれてしまった。俺は、口を尖《とが》らせる。

「これでもかってぐらい、ハッピーエンドじゃないッスか」

「幸せの上限《じょうげん》が高すぎるわ！　そこまでする必要はないんじゃないかしら！」

「じゃあ……『その後、桜野くりむと杉崎鍵は結婚《けっこん》し、末永《すえなが》く、幸せに、淫《みだ》らな日々を送りました』……END。……うん、人並《ひとな》みの幸せだ！」

「メンバーの幸せだけ描《えが》いてどうするのよ！　しかも、それ、私幸せじゃないし！」

「『学園の皆も、淫らな日々を送りました』……END」

「どうして怪人倒《たお》したら、皆淫らになったのよ！　私達は何を倒しちゃったのよ！　っていうか、杉崎の中では『幸せ』＝『淫ら』なの!?　どんだけ歪《ゆが》んでるのよ！」

「幸せのカタチは人それぞれじゃないですかー。そんなに言うなら、具体的な案出して下さいよ」

「く……」

あんまりこういう「物語を作る力」に恵《めぐ》まれてない会長は、悔《くや》しそうに押《お》し黙《だま》ってしまった。仕方ないので、知弦さんに意見を求めてみる。

「知弦さんは、どう終わったら、幸せだと思います？」

「そうねぇ……」

知弦さんはふっとせつなげに宙《ちゅう》を眺《なが》め、そして、ぽつりと返す。

「地球滅亡《めつぼう》ＥＮＤ」

「なんでですかっ！」

俺よりよっぽどこの人の方が歪んでいた。メンバー全員引きまくる中、知弦さんは、危《あぶ》ない笑みを浮《う》かべたまま、説明する。

「皆一緒《いっしょ》に死ねるなんて……幸福よね」

「そんな歪んだ幸福提示《ていじ》して終わるヒーローショーがあってたまりますかっ！」

「じゃあ、百歩譲《ゆず》って、融合《ゆうごう》ＥＮＤ。人類が皆……一つの存在《そんざい》に溶《と》け合ってしまうのよ」

「だから、なんでイチイチ宗教《しゅうきょう》的なんですか！　ロボットアニメじゃあるまいし！」

「現実《げんじつ》的なのがお好みなら、ＳＭで終わってもいいけど。私が怪人を地下室に閉《と》じ込め、ポタポタと背中《せなか》に蠟《ろう》を垂《た》らし続けるっていう……」

「誰が悪者か分かったもんじゃないですね！」

「ああ、あと、怪人を倒して全《すべ》て終わった日の帰り道、キー君が夜道を歩いていると、突《とつ》然《ぜん》後ろから『ドン！』と刺《さ》されて、振《ふ》り向くとそこには真冬ちゃんが居《い》て……『えへへ……先輩《せんぱい》が悪いんですからね……えへ……へ』と呟くというのも悪くないわね」

「どこにハッピーな要素《ようそ》があるんですか、それ！」

「真冬は、そんなキャラじゃないですよう！」

真冬ちゃんが泣きそうになっていた。……可哀想《かわいそう》に。理不尽《りふじん》なキャラ付けをされてしまっている。確《たし》かに、大人しい女の子の方が病的な行動には出そうだけど……そんな理由で殺人キャラを付けられてしまっては、たまったもんじゃない。

流石《さすが》にそろそろ先輩方には任《まか》せてられないと悟《さと》ったのか、真冬ちゃんがこほんと咳払《せきばら》いする。そうして、ピンと指を立てて、俺を見る。

「そもそも、そんなに凝《こ》る必要ないんじゃないですか？　普通《ふつう》に、怪人倒して、学園に日《にち》常《じょう》が戻《もど》って、それでいいじゃないですか。下手に今以上に幸せにしようとするから、なんか変なことになっちゃうんですよ」

「うぅ……すいません」

後輩に諭《さと》される俺。真冬ちゃんは胸《むね》を張《は》って続ける。

「というわけで、エンディングはこうです。『怪人は去った。こうして……俺達には日常が戻ってきたんだ。そう……中目黒《なかめぐろ》と二人で過《す》ごす、蜜月《みつげつ》のような日常が』……ＥＮＤ」

「中目黒出てきた！」

「そう、先日遂《つい》にリアル世界にまで進出した、あの中目黒先輩です！」

そう。ここでは報告《ほうこく》してなかったが、最近実はうちのクラスに実際《じっさい》に「中目黒」という苗字《みようじ》の美少年が転校してきて、一騒動《ひとそうどう》あったりした。まあその件《けん》に関しては、ここ以外で語ってたり語ってなかったりする。俺的には非常《ひじよう》に複雑《ふくざつ》だが、詳《くわ》しいことに興味《きようみ》あったらそっちを参照してくれ。……俺の口からはとても語りたくない。

「真冬ちゃんの中ではまだ進行してたんだ、俺と中目黒の恋愛《れんあい》……」

良くも悪くもリアルに登場したことで、妄想《もうそう》に歯止めがかかるかと思っていたのだが……。どうやら、逆《ぎやく》らしい。確かにあいつ、美少年だしな……。

「だから、寸劇《すんげき》の最後では、杉崎先輩と中目黒先輩の日常……二人で保健室《ほけんしつ》のベッドに潜《もぐ》り込む様子が描《えが》かれて、ENDです」

「いやだよ！　俺、そのショーの直後から、女生徒から冷たい目で見られるだろ！」

「逆ですよ先輩！　女の子はそういうシチュエーション大好物です！」

「余計《よけい》いやだわ！」

結局真冬ちゃんも使い物にならないことが分かったので、俺は、自分で真面目《まじめ》にヒーローショーの台本を練ることにした。会長は一見常識人《じようしきじん》っぽいが……あの人にシナリオ任せると、会長万歳《ばんざい》になることは明白なので、ここは俺が担当《たんとう》しておくことにする。

そんなこんなで、俺が脚本《きゃくほん》を担当《たんとう》する他は、テキトーに雑務《ざつむ》などを振《ふ》り分けるだけで、この日の会議は終わった。実際《じっさい》、五分かそこらの寸劇だ。会長を筆頭《ひっとう》に、誰《だれ》も、そんなに力んで取り組んではいなかった。

で。

色んな要素を考慮《こうりょ》した結果完成した寸劇台本を、以下に転載《てんさい》する。

＊

「おーい、中目黒〜」

「あ、杉崎君！　って、うわぁ⁉」

「中目黒⁉」

物語冒頭《ぼうとう》、中目黒が謎《なぞ》の怪人《かいじん》に攫《さら》われる。

「ふははは！　学園の平和は、今日で終わりだー！」

「く……」

悔《くや》しそうに膝《ひざ》から崩《くず》れ落ちる杉崎少年。しかし、そこに、幼《おさな》い声が響《ひび》き渡《わた》る！

「そこまでよ！　謎の怪人！」

「何者だ！」

振り向く怪人。すると、身長をごまかすためか、なぜかわざわざ持って来た机《つくえ》の上に立つ、真っ赤なスーツに身を包む人物。そして、背後《はいご》には三人の、色違《いろちが》いのスーツ達。

「真っ赤な情熱《じょうねつ》は全《すべ》てを（ルールとかも）燃《も》やし尽《つ》くす！　ガクエンジャーレッド！」

レッドに続き、背後の三人も名乗りを上げる。

「ボーイズラブを邪魔《じゃま》する者は許《ゆる》しません！　ガクエンジャーピンク！」

「悪を見つければ、ここぞとばかりにネチネチいたぶる！　ガクエンジャーブラック！」

「悪魔や神々をも凌駕《りょうが》する究極存在《きゅうきょくそんざい》！　ガクエンジャーイエロー！」
※ここで、観客がヒーローに注目している間に、杉崎、一旦《いったん》フェードアウト。素早《すばや》くスーツに着替《きが》えて、再登場《さいとうじょう》。
「そして、美少女のためなら平気で犯罪《はんざい》にも走る！　ガクエンジャーブルー！」

「ぬぅ⁉」

たじろぐ怪人。彼に向かって、ガクエンジャー達は一箇所《かしょ》に集合、キメのポージング！

『生徒会戦隊　ガクエンジャー！　ここに参上！』

ちょっとした火薬演出《えんしゅつ》。事故《じこ》には充分《じゅうぶん》注意。

「ガクエンジャーだとぅ！　小癪《こしゃく》な！　やってしまえ、お前達！」

怪人が告げると共に、雑魚《ざこ》エネミー五人登場。

一人一体ずつ、ガクエンジャー達が対応《たいおう》して戦闘《せんとう》。それぞれ独自《どくじ》の戦闘を展開《てんかい》する。

「レッドぱ〜んち！……えい！」

「ぐは!?」

身長の低いレッドのパンチは敵《てき》の股間《こかん》にヒットし、予想外のダメージを与える。

「いいですか、ボーイズラブとはですね、ただ男性《だんせい》同士が絡《から》み合えばいいというものではないのですよ。そもそも――」

「…………」

ピンクは、どうでもいい話で相手の戦闘意欲《いよく》を削《そ》ぐ。

「ふふふ……うふふふふふ」

「ひぃっ!?」

ブラックは、鞭《むち》をペチペチ手元で振《ふ》りながら、ドス黒いオーラで敵を圧倒《あっとう》する。

「超《ちょう》究極ディスティニーサウザンドエターナルギガンティックフレア――――！」

「ぎぃあああああああああああああああああ⁉」

イエローは、一人、何か規模《きぼ》の違う力で敵を蒸発《じょうはつ》させる（エキストラ一人死亡確定《しぼうかくてい》）。

「美少女……はぁはぁ……美少女……」

「ひぅ⁉」

ブルーは、巧《たく》みな選別眼《せんべつがん》で女性《じょせい》エネミーを見抜《みぬ》き、息を荒《あら》くして彼女に迫《せま》る！


そうして、なんだかんだで、雑魚一掃《いっそう》。


「く……なんてことだ！」

たじろぐ怪人。ここで、レッド、全員に集合をかける。

集まり、それぞれの武器《ぶき》を合体させるガクエンジャー達。

「観念しなさい、謎の怪人！」

「く……」

「学園の平和は私達が守る！　喰《く》らいなさい！　スクゥゥゥゥウル、キャノォォォォォォオォオオン！」

レッドの掛《か》け声と共に、全員で持った砲台《ほうだい》から、七色の光線が照射《しょうしゃ》される！

「ギエェェェェェェエエエエ！」


怪人、大爆発《ばくはつ》！（そういえば中目黒もろともな気がするが、そこは無視《むし》）

「ふぅ……危機《きき》は去ったわ」

満足げに呟《つぶや》くレッド。他のメンバー達も、無意味にハイタッチなどかわしてみる（自分達で盛《も》り上げないと、会場が寒いおそれあり）。

変身を解《と》くガクエンジャー達（一回はけて、早着替《きが》え）。

そして、生徒会役員の姿《すがた》で、順番に客席に呼《よ》びかける。

「こうして、生徒会は日夜、学園の平和を守っているのよ！」

「悪いことしたら……おしおき、するわよ」（鞭を未《いま》だに持って）

「もし同性間での恋《こい》に悩《なや》んだら、生徒会にご連絡《れんらく》を！」（鼻息荒く）

「我《われ》こそは最強という者、いつでも挑戦《ちょうせん》待ってるぜ！」

「今回の舞台《ぶたい》で俺《おれ》に惚《ほ》れたという方は、遠慮《えんりょ》しないで二年B組の杉崎まで！」

降《お》りてくる幕《まく》。

生徒会役員、エキストラ達の屍《しかばね》を背後《はいご》に、一礼。

そして、『アンコール！』の声（勿論《もちろん》サクラを仕込みます）。


『アンコール！　アンコール！　アンコール！』


再《ふたた》び開く幕。

「皆《みんな》、ありがとうー！　皆の声援《せいえん》にお応《こた》えして……生徒会、歌います！」

全員でオリジナル曲『戦え、ガクエンジャー～バスク語バージョン～』を熱唱《ねっしょう》。

大盛況《せいきょう》の中、寸劇《すんげき》、終わり（勿論サクラで声援を促《うなが》します）。
※中目黒・怪人役・雑魚エネミー役は、場合によっては死にますので、注意。

【第二話～旅立つ生徒会～】

「勇気というものは、誰《だれ》の心にも必ずあるものなのよ！」

会長がいつものように小さな胸《むね》を張《は》ってなにかの本の受け売りを偉《えら》そうに語っていた。

なぜそんなことを言い出したかと言えば……。

「ＲＰＧっていうのは、そもそも選ばれた勇者だけに世界の命運を全部託《たく》してしまおうっていう、その精神《せいしん》が気に食わないのよ！　民衆《みんしゆう》皆で戦いなさいよ！」

「まぁまぁ……とにかくやってみて下さい」

モニタに向かって憤慨《ふんがい》する会長を、真冬《まふゆ》ちゃんが宥《なだ》める。会長はそれでもまだ不満顔だ。

今日は、真冬ちゃんがゲーム部からゲーム機一式（モニタも含《ふく》む）を生徒会室に持ち込んできている。なぜこうなったかというと……先日会長のクラスメイトが、ＲＰＧの発売日にソフト購入《こうにゆう》のためだけに欠席したことに端《たん》を発する。

当然、その事実に会長は憤慨したわけで。

「ＲＰＧなんて、何が面白《おもしろ》いのか全然分かんない！　ダラダラと何十時間も一つのゲームするとか、もう信じられない！　物語が楽しみたいなら、テレビ見るなり、本読むなりすればいいのよ！」

なんて、生徒会室で……真冬ちゃんのいる前で愚痴《ぐち》ったもんだから、さあ大変。

「……会長さん。それは、真冬に対する宣戦布告《せんせんふこく》と受け取っていいですか？」

ゲーマーである真冬ちゃんの、数少ない地雷《じらい》を踏《ふ》んでしまったのだ。しかし、そうは言っても、ＲＰＧ買うためだけに学校を休んだ生徒を認《みと》めるわけにもいかず、会長は会長で意地を張り。

「ふ、ふん！　て、撤回《てっかい》しないもん！　そ、そんな凄《すご》んだって、駄目《だめ》なんだから！　あ、あ、ＲＰＧなんて、とるにたらない娯楽《ごらく》よ！」

完全に真冬ちゃんに怯《おび》えながらも、精一杯《せいいっぱい》そんなことを言うものだから、真冬ちゃんのゲーマー魂《だましい》にも火がつき。ふと俯《うつむ》いたかと思うと、目をきゅぴぃんと光らせながら、怪《あや》しい笑《え》みを浮《う》かべて、こんな提案《ていあん》をしたのだ。

「いいでしょう。じゃあ、会長さん。来週、真冬がＲＰＧを持ってきます。それを会長さんがプレイしてみて、ちょっとでも楽しかったら、前言を撤回して下さい。駄目だったら……そうですね。真冬が直々《じきじき》に、全校集会で『ゲームはほどほどに～』という呼びかけをしてあげます！」

その言葉に、生徒会全員が息を呑《の》んだ。ゲーム廃人《はいじん》である真冬ちゃんが、全校生徒の前でそんな発言をする。それは、まさに、決死の覚悟《かくご》と言って申し分ないものだった。

ここまで言われては、会長も後に引けない。

「い、いいわ、受けて立とうじゃない！　そのかわり、甘《あま》い評価《ひょうか》はしないからね！　こういう不信感を持っている私をも楽しませてこその、及第点《きゅうだいてん》だからね！」

「望むところです。こうなったら、真冬も、自分でＲＰＧを作ってあげますよ。お姉ちゃんと杉崎《すぎさき》先輩《せんぱい》と紅葉《あかば》先輩と一緒《いっしょ》に！」

こうして、会長と真冬ちゃんの、意地をかけた戦いが幕《まく》を開けた。

『……はぁ』

サラリと、俺、深夏《みなつ》、知弦《ちづる》さんまでも勝手に巻き込んで。


あれから一週間。俺達は生徒会の仕事も殆《ほとん》ど疎《おろそ》かにするカタチで、真冬ちゃんのＲＰＧ製作《せいさく》に付き合わされた。基本《きほん》的な部分は真冬ちゃんがツールで作ってくれるとのことなので、俺達は、シナリオだったり演出《えんしゅつ》だったりシステムだったりの部分で、アクセントとなるようなアイデアを捻《ひね》り出す役目だったのだが……。

これが、凄い重労働だった。真冬ちゃんは、ことゲームに関しては妥協《だきょう》してくれることなく……毎日、深夜まで、かれるまでアイデアを搾《しぼ》り取られた。

そうして……今日。遂《つい》に、この日を迎《むか》えたわけである。

一週間の疲《つか》れで屍《しかばね》になっている俺、深夏、知弦さんを尻目《しりめ》に、二人はモニタの前で火花を散らしている。

会長はコントローラーを握《にぎ》りながらも、この手のゲームは初体験らしく、真冬ちゃんの指示《しじ》を受けながら取り組む。とはいえ、まだタイトル画面だ。

《十異世界～エターナルクリムゾン～》

彼女らの背後《はいご》から、ボーッと、何度見たか分からないタイトル画面を眺《なが》める。そんなに大したグラフィックじゃないし、オリジナルの素材《そざい》もない。黒バックに、ちょっと彩色したタイトルが表示されているだけだ。内容《ないよう》も含《ふく》め、スーファミレベルの作品だが、完全初心者の会長には丁度いいだろう。

会長が、早速疑問《さっそくぎもん》を口にする。

「……なんて読むの、これ」

「『とおいせかい』ですよ。『十の異世界』という意味もありつつ、『遠い世界』という意味もあり、なおかつ、十を『と』と読むことによって、並《なら》び替《か》えると『せいとかい』となるという、素晴《すば》らしいタイトルです」

「む、むぅ……凝《こ》ってるわね」

会長が悔《くや》しそうにタイトルセンスを認める。真冬ちゃんはそれに満足げに頷《うなず》いた。

「まあ、内容全く関係ないですけどね」

「じゃあ駄目《だめ》でしょ！」

会長がツッコム。真冬ちゃんは苦笑《くしょう》した。

「いえ、タイトルは最後に決めたうえに、思わずセンスに走っちゃいまして……」

「うまい言葉とか作らなくていいから、とりあえず、内容を表そうよ！」

「まぁまぁ。世の中、何がファイナルなのか分からないファンタジー作品や、そんなにドラゴンが重要なわけでもないクエストもあることですし」

「……まあ、いいわ。じゃあ、始めるわよ。……あれ？　ボタン押《お》しても何もならないけど……」

「ああ、会長さん、駄目ですよ。スタートするには、『ＬＲＬＲＬＬＬＬＲＲＲＲ○□×△↑↓』と入力しないと」

「最初から大難関《なんかん》ね！　製作者《せいさくしゃ》が一緒《いっしょ》にやってないと、誰もスタートすら出来ないんじゃないかしら！」

「序盤《じょばん》からやりこみ要素《ようそ》を盛《も》り込《こ》んでみました」

「単なるイヤガラセの間違《まちが》いでしょう！」

文句《もんく》を言いながらも、会長は真冬ちゃんに指示された通りにキー入力を済《す》ませる。

「……あのパスワードを全員が忘《わす》れた時は、大変だったなぁ」

隣《となり》で深夏が、明後日の方向を見ながら呟《つぶや》いていた。……思い出したくもないので、俺はあえてスルーする。

会長のプレイは進む。

「主人公の名前は、くりむで固定なんだ……」

「会長さんのためのＲＰＧですから」

「まあいいけど……」

ゲームを進める会長。まだ、メッセージをボタンで送るだけだ。世界観の説明や、主人公の置かれている環境《かんきょう》が語られている。

まとめると、こういうことだ。

『スタイルに恵《めぐ》まれない少女、チェリー野くりむは、ある日唐突《とうとつ》に「魔《ま》王倒《おうたお》さなくちゃ」

とかアホなことを言い出す。親や親戚《しんせき》に「いい子だから、一度病院に行きましょうね」と心配されるが軽く無視《むし》し、くりむは、パジャマ姿《すがた》のまま冒険《ぼうけん》の旅に繰《く》り出すのであった』

「どういう意味よ！」
「会長さんがモデルですから」
「もう既《すで》に色々おかしいよ！」

ぎゃあぎゃあと叫《さけ》びながらも、ゲームは進行する。とりあえず、フィールド画面だ。くりむの家から、まずは、最初の村である「クゴジ村」を目指す。

「ちなみに、逆《ぎゃく》から読むと『地獄村《じごくむら》』です」
「私はパジャマ姿で妄言吐《もうげんは》きながら何処《どこ》に向かっているのよ！」

そうは言っても、進まないと仕方ない。なぜか毒の沼《ぬま》だらけのフィールドを、くりむは、特殊技能《とくしゅぎのう》「痛《いた》みに気付かない」を駆使《くし》して歩き続ける。

「私、なんか色々おかしくない!?」
「会長さんがモデルですから」
「その返しやめようよ！」

と、その時、遂《つい》にエンカウント。敵《てき》との戦闘《せんとう》に突入《とつにゅう》し、画面が切り替《か》わる。

《『連続殺人犯《さつじんはん》』が現《あらわ》れた！》

「なんかいきなりヤバイのに遭遇《そうぐう》したわよ、私！」

「大丈夫《だいじょうぶ》です。これは、雑魚《ざこ》ですから」

「雑魚なの⁉」

「ええと、会長さん。戦闘は、コマンドを選ぶことで進行します。とりあえず、『戦う』を選択《せんたく》して下さい」

「常識《じょうしき》的に考えて、連続殺人犯に出会ったら、『逃《に》げる』だと思うけど……」

「いいんです。くりむちゃんですから」

「どういう理由⁉……まあいいわ。ええと、『戦う』、と」

会長が選択すると、戦闘が始まる。

《くりむの攻撃《こうげき》！　『連続殺人犯』に50のダメージ！　『連続殺人犯』は消滅《しょうめつ》した！》

「ほら、勝ったでしょ、会長さん」

「私何者なのよ！　連続殺人犯を一撃で消滅させたけど⁉」

「選ばれし者ですから」

「神にじゃなくて、悪魔《あくま》か何かに選ばれたんでしょ、これ！」

会長がツッコンでいる間に、戦闘が終了《しゅうりょう》する。再《ふたた》びフィールド画面に。

しばらく歩行していると、再び、敵に遭遇。


《『いけすかないイケメン野郎《やろう》』が現れた！》

「この敵、絶対《ぜったい》杉崎の提案《ていあん》でしょう！」

「な、なぜ分かったんですかっ！」

会長に指摘《してき》され、動揺《どうよう》する俺《おれ》。会長は嘆息《たんそく》し、「まあいいわ……」と、さっきと同じく『戦う』を選択《せんたく》した。

《くりむの攻撃！　40のダメージ！　『いけすかないイケメン野郎』は、『でこぼこの顔した貧弱《ひんじゃく》野郎』になって、去って行った》

「顔中心に殴《なぐ》ったよねぇ、私！」

「たまに、こういう特殊攻撃が発動します」

「いやなシステム！」

戦闘が終了する。と、その瞬間《しゅんかん》、景気の良いファンファーレが鳴った。

《くりむはレベルアップした！》

「ん？　これはなに、真冬ちゃん」

「レベルアップですよ。RPGでは、敵を倒《たお》すと、『経験値《けいけんち》』というものが溜《た》まるんです。で、それが一定に達すると、レベルアップします」

「そうすると、どうなるの？」

「そのキャラが強くなります。敵からのダメージが減《へ》ったり、こっちの与《あた》えるダメージが増《ふ》えたりと……成長するんです」

「へえ……」

会長がメッセージを送る。すると、表示される上昇《じょうしょう》ステータス。

《残酷《ざんこく》さが2上がった！　最大痛覚無視《つうかくむし》時間が4上がった！　手癖《てくせ》の悪さが3上がった！　髪《かみ》の毛が微妙《びみょう》に伸《の》びた！　身長が一センチ減った！》

「なんか変な方面に成長してる！」

「会長さんですから」

「しかもなぜか身長縮《ちぢ》んだし！」

「会長さんですから」

「全部それで済《す》ます気⁉」

既《すで》に会長はげんなり気味だ。……これは、まずいんじゃないだろうか。とてもじゃないが、これで「ＲＰＧって楽しいわね！」となるとは思えない。

知弦さんが、ぽつりと呟《つぶや》く。

「作っている時は面白《おもしろ》かったんだけどね……」

「まあ、当人じゃないですしね。あと、連日徹夜《てつや》で、変なテンションになってましたから、俺達」

「冷静に改めて見ると……我《われ》ながら凄《すご》いわね、このゲーム」

「ええ。地雷《じらい》とかクソゲーとか、そういう言葉で推《お》し量れる領域《りょういき》をとうに超《こ》えてますね」

二人でそろって嘆息《たんそく》する。……一週間かけて何を作ってるんだ、俺達は。

会長も既に気力を失っていたが、真冬ちゃんに促《うなが》され、ゲームを再開《さいかい》する。そして、そのまま敵《てき》に遭遇《そうぐう》することもなく、ようやく、最初の村に辿《たど》り着いた。

「あれ、画面が変わったけど？」

「村の中に入ったんです。ここでは戦闘《せんとう》とかなくて、村人さんに話を聞いたり、武器《ぶき》や防《ぼう》具《ぐ》を新調したりするんです」

「ふぅん……」

「あ、とりあえず、目の前の村人に話しかけてみて下さい」

会長がボタンを押す。すると、村人からの言葉。

『ようこそ！　ここはクゴジ村だよ！』

「ええと……こう？」

「おお……なんかこのゲームで初めて普通《ふつう》の人に出会った気がするわ！」

会長は変なところで感動していた。

村人が続ける。

『昨日、連続殺人犯《さつじんはん》に家族が皆殺《みなごろ》しにされたばかりだけど、そんなこたぁ関係ねぇ！　快《こころよ》く歓迎《かんげい》するよ！　ようこそ、旅人さん！』

「なんか現実逃避《げんじつとうひ》してた！　この村人、現実逃避してるよ！」

「皆《みんな》……大なり小なり、悩《なや》みは抱《かか》えているものなのですよ」

「最初の村人からして、背景《はいけい》のインパクトが大きすぎるよ！」

「まあ、その人は無視《むし》して、次に進みましょう。何回話しかけても、同じメッセージしか言いませんから」

「それは、システム上の都合でよねぇ⁉　『そういう人』っていう設定《せってい》とかじゃないわよねぇ⁉」

　会長の叫《さけ》びも気にせず、真冬ちゃんは、次の指示《しじ》を出す。

「じゃあ……とりあえず、装備《そうび》を買ってみましょうか。くりむちゃん、未《いま》だにパジャマですから」

「その設定忘《わす》れてたわ！」

　というわけで防具屋さんに向かう会長。

『いらっしゃい！　いい防具揃《そろ》えているよ！……い、いや、ホントに。う、嘘《うそ》じゃないって！　こ、この値段《ねだん》は、他の村でも同じだよ！　ホント！　絶対《ぜったい》！　うち、チェーンだから、変わらないって！　え？　アンタ……旅人さん？　そ、そう。……あ、ちょっと待ってくれ。これ、やっぱ、３００G安かったかも……』

「なんか、いきなり防具屋さんが挙動不審《ふしん》なんだけど！」

「気にしないで、買い物しましょう。連続殺人犯とイケメンから奪《うば》い取ったお金が、たんまりあるはずです」

「私、この主人公に一切正義《いっさいせいぎ》を感じないんだけど！」

そうは言いつつも、パジャマはイヤだったのか、渋々《しぶしぶ》防具の品揃えを覗《のぞ》く会長。

《スクール水着（４００G）亀仙流《かめせん》の胴着《どうぎ》（３００G）女王様のタイツ（３０００G）》

「確実《かくじつ》に生徒会メンバーの趣味《しゅみ》反映《はんえい》しているよねぇ、これ！」

こちらを振《ふ》り向く会長。俺達三人は、サッと視線《しせん》を逸《そ》らした。

「まったく……。でも、どうしよう。どれもかなりイヤだわ」

「じゃあ、買わないで出ましょう。防具屋さんの隣《となり》にユ○クロありますし」

「あるんだ、ユニ○ロ！」

というわけで、会長はユニク○で無難《ぶなん》な上下一式を揃える。

「次は……武器《ぶき》屋ね。どうせまともな武器じゃないんだろうけど……」

「まあ、そもそも、○ニクロの服で歩いている少女が武器持っている時点で、充分猟奇的《じゅうぶんりょうき》ですからね。瑣末《さまつ》な問題です」

「このRPGのテーマは、確実に『歪《ゆが》んだ心』よねぇ！」

「会長さんは勇者と魔王《まおう》みたいな王道が嫌《きら》いなようなので、一ひねり加えてみました」

「一ひねりどころか、捩《ねじ》れる寸前《すんぜん》までひねられちゃっているわよ！」

そんなやりとりをしながら、武器屋へ。


『いらっしゃい！　いい武器揃えておりやすぜ！』


「あれ？　店主は普通《ふつう》ね……」

会長は呟《つぶや》きながら、品揃えを見る。


《青銅の剣《けん》（400G）　白樺《しらかば》の杖《つえ》（300G）　ブーメラン（550G）》

「あ、あれ？　ＲＰＧは良く知らないけど……なんか、普通っぽいわね。少なくとも、今までの歪んだ要素はないわ」

安心したように微笑《ほほえ》む会長。そこに、真冬ちゃんが指示《しじ》。

「あ、会長さん。連続殺人犯《さつじんはん》を倒《たお》した時に取得した、《メンバーカード》を提示《ていじ》して下さい。ちょっと、いいことがありますから」

「？　ああ、安くなるの？」

言われるままに、道具を使う会長。すると……。

『……ふ。そうかい。お客さん……《そっち側》かい。いいぜ、来いよ』

「なんか、地下室への階段《かいだん》が現《あらわ》れたけど！」

「ついていって下さい、会長さん」

恐《おそ》る恐るついていく会長。

『さあ、裏《うら》武器屋へようこそ！　くへへへ……好きなもんを買ってくれや』

「ああ、さっきまでマトモな人だと思っていたのに！」

「世の中、そんなものですよ」

「なんか妙《みょう》に深いわ、このゲーム！」

裏武器屋のラインナップを確認《かくにん》。


《エクスカリバー（3G）　魔剣ルシフェル（2G）　レーザーライフル（4G）　バズーカ（1G）　核《かく》ミサイル（5G）　メガ粒子砲《りゅうしほう》（4G）　モビルスーツ（6G）　時間跳躍《ちょうやく》装置《そうち》（2G）　椎名《しいな》深夏愛用のナックル（2000G）　紅葉知弦愛用の鞭《むち》（2000G）　杉崎鍵《けん》愛用のエロ本（2000G）》

「なんか凄《すご》い武器が超特価《ちょうとつか》なんだけど！」

「裏ですから」

「どういう儲《もう》けの仕組み!?　そして、このラインナップの中で、生徒会メンバー装備《そうび》だけ高いのは何故《なぜ》！」

「値段《ねだん》のままです。生徒会装備は、メガ粒子砲の五百倍強いです」

「アンタ達何者なのよ！」

「この世界では、生徒会メンバーは、会長さんも含《ふく》めて、五強の設定《せってい》です」

「じゃあ、私、冒険《ぼうけん》とか成長とかする必要ないじゃない！　既《すで》に最強なんじゃない！」

「最強になってもまだ、強さを求めてやりこむ……。それが、ＲＰＧクリア後の醍醐味《だいごみ》！」

「最初からそうである必要はないと思うけどねぇ！」

ツッコミつつ、会長は武器を選ぶ。生徒会装備はイヤだったのか、結局、会長はメガ粒子砲を選んだ。……それはそれでどうかと思うけど。

「七人の若《わか》い少年少女がやっていたりする、健全な武器屋で私は買い物がしたかったわ……」

会長がグッタリしている。俺はフォローしておくことにした。

「そんなピンポイントな武器屋は生憎《あいにく》ないですけど、このゲーム、それほど長くないですから。もうちょっと頑張《がんば》ってみて下さいよ」

「……頑張るも何も、連続殺人犯を一撃《いちげき》で倒す『五強』の少女が、つい先ほどメガ粒子砲手に入れたのよ？　頑張らなくても、もう、負ける気がしないのだけど」

そりゃそうだ。既に主人公は、成長するまでもなく世界最強の一角だ。最初の村で買い物しただけなのに。でもまあ、仕方ない。短時間でＲＰＧの魅力《みりょく》を伝えるのは、なかなか大変なのだ。

「今回はストーリー重視《じゅうし》なんですよ」

「これで⁉」

「エンディングでは、号泣必至《ごうきゅうひっし》です」

「ここからそんなエンディングに持っていけるシナリオライターは、天才だと思うわ！」

文句《もんく》を言いつつも、大体基本操作《きほんそうさ》は覚えたらしく、会長はゲームを進める。

道具屋に入り、例の如《ごと》く頭のおかしいラインナップにもういちいちツッコムこともなく、テキトーに回復《かいふく》アイテムを購入《こうにゅう》して退出《たいしゅつ》。村人全員に話しかけ、九割《わり》方惨劇《さんげき》の臭《にお》いのする生臭《なまぐさ》い背景《はいけい》話をされるも無視し、ようやく、どうもこれは「村人を苦しめている魔《ま》物《もの》」を倒しに行くのが目的らしいぞと汲《く》み取り、出発。

再びフィールドへ。

「あ、会長さん。目的の場所は、村人が言っていた通り――」

「南の洞窟《どうくつ》でしょ？　分かってるわ」

「……そうですか」

真冬ちゃんがアドバイスしようとすると、会長はそう答え、サクサクと自分から南に向かい始めていた。道中に出てくる「連続殺人犯ベス（ちょっと強い）」や、「なよなよした貧弱野郎《ひんじゃくやろう》」を、メガ粒子砲で適当《てきとう》に蹴散《けち》らし、その攻撃力《こうげきりょく》に少し爽快《そうかい》感を覚えたようにニヤニヤし、レベルアップした後は、また少し上がった攻撃力に満足そうにする。

会長のプレイをしばし見守り、真冬ちゃんはこっそりこちらを振《ふ》り返って、ニヤリと笑った。小声でやりとり。

「（会長さんも、RPGに慣《な》れてきましたね♪）」

「（まあ、苦戦とかしないバランスだしね。成長する楽しみは半減《はんげん》だけど、なんとなくの魅力《みりょく》は伝わってるんじゃないか）」

「（あたしは、もっと難度《なんど》高くても良かったと思うけどな）」

「（いいのよ、深夏。アカちゃんには、あれぐらいで充分《じゅうぶん》よ。あの子、なんだかんだいって、自分が強かったりもてはやされたりするの、大好きだから。ほら）」

知弦さんが画面を見やる。すると、そこでは既《すで》に会長がサクッと洞窟のボス「ムラビトクルシメールー」を滅殺《めっさつ》し、村に帰還《きかん》。勇者だ神様だと村人に祭《まつ》り上げられている最中だった。

「うふふふふ……。村人よ、もっと私を褒《ほ》めなさい！」

会長はすっかり没入《ぼつにゅう》していた。……分かりやすい人だ。褒められるの、大好きだな。

知弦さんはその様子を見守り、「ね？」と俺達《おれたち》にウィンクする。俺達もまた、シメシメと怪《あや》しい笑《え》みを浮《う》かべた。

「それで、この後どうするの？」

会長が質問《しつもん》してきたので、真冬ちゃんがアドバイスに戻《もど》る。

「では、いよいよラストダンジョンに挑《いど》みましょう」

「もう!?」

「大丈夫《だいじょうぶ》です。くりむは、既に世界でも一、二を争う戦闘力《せんとうりょく》の持ち主ですから」

「そりゃ、メガ粒子砲《りゅうしほう》持ってるしね……」

「ここまで来たら、あとは、ラスボスを倒《たお》しに行くのみです」

「とても今更《いまさら》な質問なんだけど、このゲームの最終目的って、なんなの？」

「魔王倒《まおう》すって、くりむちゃん、最初に言ってたじゃないですか」

「なんか『頭がアレ』っていう解釈《かいしゃく》だった気がするけど。本当にいるの？　魔王」

「いますよ。大魔王《マギール》が」

「モデルとなった人物からして既に、私の手に負えない気がするんだけど！」

まあ、確《たし》かに。しかしだからこそ、ラスボスとして優秀《ゆうしゅう》なのだが。あの真儀瑠《まぎる》先生だ。威圧感《いあつ》はバッチリ。問題なのは、どうあがいても勝てそうにない気もするところだが、それはそれ。

真冬ちゃんが説得する。

「とにかく、魔王は倒さないといけないです」

「そ、そうね……。うん、悪いことしているヤツは、確かに、倒さないとね」

「あ、いえ、マギールはいい人ですよ。やり方強引《ごういん》ですけど、基本《きほん》、善人《ぜんにん》です」

「じゃあ私正義《せいぎ》じゃないじゃない！」

「まあ、そうですね。むしろ、頭のおかしいテロリストみたいなキャラです、くりむ。平和な世界に、いらぬ一石を投じる存在《そんざい》」

「ラストダンジョン行きたくない！」

「わがままは駄目《だめ》ですよ、会長さん」

「そういう問題なの⁉」

やばい。会長が冒険《ぼうけん》を拒否《きょひ》している。……仕方ない。ここは、俺の出番か。

俺は、背後《はいご》から会長に、悪魔の囁《ささや》きの如《ごと》く、語りかける。

「いいですか、会長。確かにくりむは正義じゃありません。しかし、魔王を倒せば、次の統治者《とうちしゃ》は貴女《あなた》なんですよ」

「え？」

「マギールを倒した暁《あかつき》には、会長は、この世界のトップです」

「トップ！」

「生徒会会長どころか、世界会長です」

「世界会長！」

徐々《じょじょ》に会長のテンションが上がり始める。

「今回、一つ村を救っただけで、こんなに褒められるんです。世界を統治した暁には……世界中の住人が、会長を褒め称《たた》えることでしょう」

「ああ……名声……」

会長の目が怪しく輝《かがや》き始めている。ゲームの中では、村の問題が解決《かいけつ》したと同時に、なんの脈絡《みゃくらく》もなく「魔王の居城《きょじょう》へ向かうための飛空艇《ひくうてい》」が出現《しゅつげん》したところだった。

「……魔王は……うん、倒さなくちゃ、ね」

会長は、遂《つい》に悪魔に魂《たましい》を売り渡《わた》した。飛空艇に乗り込《こ》み、誰《だれ》も操作《そうさ》説明してないのに、高速で空を爆走《ばくそう》（？）する。

「魔王、待ってなさい！」

今や、会長はゲームの中のくりむと一体化していた。……そう、これが、RPGの醍醐《だいご》味《み》！　主人公に共感し、シンクロするということ！……若干《じゃっかん》やり過《す》ぎな感はあるけど。

「！　あれが魔王の居城ね！」

しばらく飛空艇を乗り回すと、前方に、空中に浮《う》かんだ禍々《まがまが》しい城《しろ》が現《あらわ》れる。なんとなく、真儀瑠先生が住んでいる場所として、ぴったりな印象である。あの人、リアルでもこんな生活してそうだからな……。

「突入《とつにゅう》！」

会長は躊躇《ためら》いなく城に突《つ》っ込む。そうすると、画面が切り替《か》わり、城の内部へ。飛空艇から降《お》り、くりむちゃんの最後の冒険《ぼうけん》が始まる。

数歩歩くと、雑魚敵《ざこてき》が登場。

《魔王警備員《けいびいん》が現れた！》

「邪魔《じゃま》よ！」

会長はいつものように、戦闘《せんとう》に入った瞬間《しゅんかん》にメガ粒子砲《りゅうしほう》を放つ。最早《もはや》よく桁《けた》が分からない、驚異《きょうい》的な数字。しかし……。

「た、耐《た》えたですって⁉」

そこはさすがラストダンジョンの雑魚。あんなデタラメな威力《いりょく》の攻撃を喰《く》らっても、まだ、死んでいなかった。

初めて、敵に攻撃ターンが回る。

《魔王警備員からの攻撃！　くりむに10のダメージ！　くりむは泣いた！》

「ふん、ＨＰが既《すで》に億《おく》を突破《とっぱ》している私にしてみれば、微々《びび》たるダメージ……って、なんか私泣いてる！　弱っ！　精神力《せいしんりょく》弱！」

《くりむは戦意を喪失《そうしつ》した。肩《かた》を小突《こづ》かれてびっくりしたので、「うえぇぇん」と泣きながら、去った》

「逃《に》げた！　メガ粒子砲持った最強の私、ちょっと肩小突かれただけで逃げた！」

「我《われ》ながら、実に現実《げんじつ》に忠実《ちゅうじつ》に出来ています……このゲーム！」

真冬ちゃんは自画自賛《じさん》していた。

会長は勢《いきお》いを削《そ》がれたものの、しかし、気にせず再《ふたた》び進む。すると、また雑魚。

《魔王警備員が現れた！》

「く……どうするのよ私！　実力的には完全に勝っているのに、また逃げるというの！」

迷《まよ》いながらも、会長は「戦う」を選択《せんたく》する。しかし、やはり一撃《いちげき》では倒《たお》しきれない！

《魔王警備員からの攻撃《こうげき》！　くりむに10のダメージ！》

「く……」

会長の顔が歪《ゆが》む。しかし……次に表示されたメッセージは、意外なものだった。

《しかし、くりむは耐えた！　ぷるぷる震《ふる》えて今にも泣きそうだったけど、それでも、耐えた！『こ、こ、怖《こわ》くないもん！』と、くりむは啖呵《たんか》を切った！》

『おおー！』

生徒会室がどよめく。雑魚戦なのに、妙《みょう》に感動的だった。あのロリお子様会長が……必死で警備員に立ち向かう姿《すがた》を想像《そうぞう》すると、かなりクるものがある！

会長自身もこの演出《えんしゅつ》には心を動かされたらしく、すっかりゲームに感情移入《かんじょういにゅう》している。

「よく言ったわ、私！　貴女《あなた》は、頭はアレだけど、やれば出来る子よ！　よし、行きなさい！　メガ粒子砲！」

くりむが再度《さいど》メガ粒子砲を発射《はっしゃ》する！　そして……。

《魔王警備員は消滅《しょうめつ》した！　くりむは六億の経験値《けいけんち》を手に入れた！　くりむは大量にレベルアップした！　そして……くりむは、この戦いで、数値化出来ない何かを手に入れ、また一つ、成長したのだった……。取得ゴールド、プライスレス》

システムメッセージまで、いちいち感動的だった。

「ふ……くりむ。貴女は、本当に、大した子よ……」

会長も自画自賛だ。……ただ逃げなかったってだけなのに……。

その後は、レベルアップのおかげで、再び雑魚がサクサク倒せるようになり、滞《とどこお》りなく城の奥《おく》へと近付いていく。

そして……。

『よく来たな、チェリー野くりむ……いや、生徒会長　桜野《さくらの》くりむよ！』

「いきなり現実《げんじつ》のプレイヤーを見抜《みぬ》いてきた！」

いよいよ、大魔王マギールと対面である。その、こっちの世界の存在《そんざい》まで見透《みす》かす勢いに、会長は完全に呑《の》まれている。

『お前がここまで来るだろうことは、予測済《よそくず》みだった。なにせ、桜野でも出来る緩《ゆる》いゲームバランスだからな』

「いちいち言うことがメタだ、マギール！　なんか、違《ちが》う意味で、勝てる気がしないわ！」

真儀瑠先生は、色んな意味で強そうだった。

『しかし、お前は私には勝てない。なぜなら……』

そう言って、マギールは、マントの中から武器《ぶき》を取り出す。それは……。

『この世界における最強武器は基本《きほん》的に私が全部装備《そうび》している上、ステータスは全《すべ》てカンストしているし、毎ターンHPやMPは全快《ぜんかい》するわ、一撃死系《けい》は勿論効《もちろんき》かないわで、そもそも理論《りろん》的にこのゲームじゃ私は倒せないからだー！』

「卑怯《ひきょう》どころの話じゃない！　ゲームバランスがここにきて完全崩壊《ほうかい》してる！」

会長がこちらを振《ふ》り向く。俺達はサッと目を逸《そ》らした。……そう、マギールの設定《せってい》は、もう、おかしい。なぜかといえば……ゲーム製作《せいさく》中に乱入《らんにゅう》した真儀瑠先生が、勝手にマギールの設定を改変し、顧問《こもん》命令でデータ修正《しゅうせい》を禁止《きんし》してきたからだ。

つまり……このマギールは、正真正銘《しょうめい》、最強。

会長は、絶望《ぜつぼう》しきっていた。生憎《あいにく》ドット絵じゃ分からないが、チェリー野くりむも、愕《がく》然《ぜん》としていることだろう。

大魔王《まおう》マギールは、一歩、くりむに近寄《ちかよ》る。

『しかし桜野よ。私とて、鬼《おに》じゃない。どうだ？　お前が私の配下となると言うのなら、世界の半分をお前にやろう。二人で一緒《いっしょ》に世界を支配《しはい》しようではないか』

「！　世界の半分！」

会長の心が揺《ゆ》らいでいた。どうせ勝てない戦い。だったら、この提案《ていあん》は、とんでもなくありがたい申し出なのではないか。会長がそんなことを考えているのは明白だ。

既《すで》にここら辺のゲーム展開《てんかい》に関しては、完全に真儀瑠先生がいじりまくったせいで、俺達でさえどうなるか分かってない。下手すると、ここで条件《じょうけん》を呑んで世界の半分を貰《もら》っちゃうのが、一番ハッピーな結末になるという、身も蓋《ふた》も無い展開もあり得る。あの真儀瑠先生だ。何をやってもおかしくない。

会長は、コントローラーを強く握《にぎ》ったまま、沈黙《ちんもく》を続ける。

悩《なや》み、悩み、悩み、悩み……。

そうして……。

「決めたわ」

決意を秘《ひ》めた目でそう告げると、彼女は、選択肢《せんたくし》を選んだ。

今までイベントでは基本喋《しゃべ》らなかったくりむが、ここにきて、初めて発言する！

『私は妥協《だきょう》しない！　ここまで来たんだもの！　以前の私なら、その提案を呑んでいたでしょう！　でも今は……怖くても立ち向かってこそ手に入れられるものがあると知った今は、そんな生温《なまぬる》い未来に惑《まど》わされたりしない！　私は……私の正義《せいぎ》を貫《つらぬ》く！』

瞬間《しゅんかん》、戦闘《せんとう》に突入《とつにゅう》！

意外と熱い展開に、生徒会一同、思わず拳《こぶし》を握りこむ！

《大魔王マギールが現《あらわ》れた！》

『愚《おろ》かな……。負けると分かっている戦いに挑《いど》むとは、失望したぞ、桜野よ！』

『一パーセントでも勝つ可《か》能性《のうせい》があるなら、私はそれに賭《か》ける！』

『桜野の勝率《しょうりつ》は一パーセント程《ほど》も無いと言っているのだよ！』

《大魔王マギールの攻撃《こうげき》！　無形武器《ぶき》《無》が空間ごとくりむを切り裂《さ》く！　くりむに∞のダメージ！》

『だから、私には勝てないと忠告《ちゅうこく》したのだ……』

『……まだよ！』

『！　なんだと！』

《くりむは特殊《とくしゅ》能力『問答無用』を発動！　致死《ちし》攻撃を一度だけ『無かったこと』にする！》

『ふ……。少しだけ生きながらえたからと言って、どうなると言うのだ』

『私の攻撃よ！　いっけぇえええええええええええええ！』

《くりむの攻撃！　メガ粒子砲《りゅうしほう》が大魔王マギールに直撃する！　マギールに30000のダメージ！》

『無駄《むだ》だ！』

《マギールのＨＰ・ＭＰが全快《ぜんかい》する！》

『どんな攻撃をしようと、私は毎ターン全快する！　いくら私の攻撃を凌《しの》ごうと、私を打ち倒《たお》すことは不可能！』

『………………』

『……楽しませてもらったが、これで終わりだ、桜野！』

《大魔王マギールの必殺攻撃！　無形武器《無》が、因果律《いんがりつ》ごとくりむを切り裂く！　くりむは存在《そんざい》を根源《こんげん》から絶《た》たれた！》

『ふ……さらばだ、桜野……』

『…………まだよ！』

『!?　な――』

《くりむの存在が回帰する！》

『どういう……ことだ。なぜ、まだ！』

『私は……私はくりむ！　このゲーム世界で私の存在を根源から絶《た》とうとも、完全に消し去ることなど出来はしない！　なぜなら……私と一緒《いっしょ》に冒険《ぼうけん》してくれたプレイヤーが、まだ、私を見捨《みす》ててないからよ！　そう……私の半身が、あっちにはいるんだ！』

『く……』

『プログラムだけ組まれた《寂《さび》しい最強存在》の貴女《あなた》とは違《ちが》う！　私は……私達には、仲間がいる！　世界の垣根《かきね》さえ超越《ちょうえつ》した仲間がね！　その仲間が私を信じてくれる限《かぎ》り、《この世界で最強なだけ》の貴女になんか、私は負けない！』

『そんな……馬鹿《ばか》な！　こんなのは……理論《りろん》上、ありえな――』

『理論？　ルール？　そんなのは……《会長》たる私が作る！』

《くりむの攻撃！　メガ粒子砲……を捨て去り、くりむは、平手でマギールの頬《ほお》を張《は》る！

ゼロのダメージ！》

『な、なんの真似《まね》だ。そんなもの、私には効《き》かな――』

《大魔王《まおう》マギールの頬を涙《なみだ》が伝う！　マギールは戦闘《せんとう》が続行出来ない！》

『な、な……に……』

『終わりよ、マギール。どんなに貴女が強くても……戦う気がなくなったのなら、意味なんてない』

『…………』

『どんな力も、それを振《ふ》るう人間が全《すべ》て。そうでしょう、マギール』

『……………ふ。……完敗だよ、桜野。私の……負けだ』

《大魔王マギールを倒した！　くりむは……経験値《けいけんち》などでは表現《ひょうげん》しきれない、そして言葉にさえ出来ない、大切なものを手に入れた！》

戦闘が終了《しゅうりょう》する。

……生徒会全員、呆然《ぼうぜん》としていた。……こ、こんな熱い話にした覚えは、誰《だれ》もなかったんだが……。

深夏なんか、感動して軽く涙ぐんじゃっている。真冬ちゃんは、とにかく想定外の事態《じたい》にぽかーんと画面を見ていた。そして、まさにこの物語の主役だった会長に至《いた》っては、感動でぷるぷる震《ふる》えながら、泣くのを堪《こら》えるかのように画面を見つめ続けている。

俺は、知弦さんと顔を見合わせ、小声でやりとりする。

「(こ、これって……あの、多分……)」

「(真儀瑠先生ね。選択肢《せんたくし》によっては、こういう展開《てんかい》になるようにしておいたとしか思えないわ)」

「(どこまで頭が回るっていうか……狡猾《こうかつ》なんでしょう、あの人)」

「(まったくね。というか、この域《いき》になると、趣味《しゅみ》なんじゃないかしら。ほら、悟《さと》ったふりして、あの人、こういう青臭《あおくさ》いの意外と好きそうじゃない)」

「(ああ……ですね。でも、確《たし》かに、いいラストでした)」

「(戦闘は規模が大きすぎて全く意味が分からないけど、勢《いきお》いだけは無駄にある展開だったことは確かね)」

知弦さんと二人、しみじみと画面を見つめる。

ラスボスを倒し、ゲームはエンディングへと突入《とつにゅう》していた。

その後の物語が語られている。

『こうしてくりむは、新しい魔王となった。頭がおかしいと彼女を蔑《さげす》んでいた家族・親戚《しんせき》連中は手のひらを返したようにくりむに近寄《ちかよ》ってきたが、くりむはそれを一蹴《いっしゅう》し、結局、自分の周囲は信頼《しんらい》できるものだけで固めた。自分を含《ふく》め世界の五強と呼《よ》ばれていた人間達と、そして前魔王マギールである。

人々は彼らを、「この世に生きるモノ全てを統《す》べる会」という意味で、「生徒会」と呼《よ》んだ。

絶大《ぜつだい》な武力《ぶりょく》と軍事力を持つ魔王及《およ》び生徒会は、しかし無闇《むやみ》に力を振るうことはなかった。それどころか、いつもくだらないことにばっかり取り組んでいて、真面目《まじめ》に世界の統治《とうち》などは一切《いっさい》しなかったが、しかし、なぜか、世界は平穏《へいおん》だった。

魔王と生徒会自らが、武力や権力《けんりょく》、名声等というものがとるにたらないものだと示《しめ》していたからかもしれない。本当の幸せは、そんなものの中にあるのではないと。

こうして、くりむと生徒会達は、長く、幸せに、暮《く》らしたのであった。

完』

そうして、スタッフロール（生徒会メンバーだけだが）が、エンディング曲に合わせて流れ始める。

会長が全くこっちを振り向かないので、皆《みんな》で顔を見合わせる。代表して俺《おれ》がそぉっと会長を覗《のぞ》き込《こ》んで見ると、彼女は若干《じゃっかん》泣いていた。

しかし、俺が見ていることに気付くと、会長は慌《あわ》てたように袖《そで》で目元を拭《ぬぐ》い、こっちに振り返って、「ふ、ふん！」と胸《むね》を張《は》る。

「へ、変なゲーム！　こんなの、絶対市販《ぜったいしはん》できないわね！」

強がるようにそんなことを言う会長。それに対し、真冬ちゃんはニヤニヤしながら訊《たず》ねた。

「さて、会長さん。ちょっと真冬の予定とは違《ちが》いましたけど……これで、ＲＰＧが下らないジャンルだって認識《にんしき》、改めて貰《もら》えたんじゃないですか？」

「う……」

会長はたじろぐ。そして、悪あがき。

「あ、あれは、その、シナリオが良かったのであって、あのシナリオならば、別に、RPGじゃなくたって……小説だって、感動したと思うし……」

「でもあの話は、RPGだったからこそ成り立っていると思いますけど？　プレイヤーとキャラクターの関係とか」

「うっ！」

「それに、『成長する楽しみ』は、本媒体《ほんばいたい》じゃ味わえなかったんじゃないですか？」

「う、うぅ……」

真冬ちゃんにジワリジワリと追い詰《つ》められる会長。彼女は最後の最後まで悔《くや》しそうに視《し》線《せん》を逸《そ》らしていたが……しかし、ED曲が終わったエンディング画面に『クリアおめでとう！』というベタな文字が出ているのを見ると、一瞬《いっしゅん》、嬉《うれ》しそうにパァッと顔を輝《かがや》かせてしまった。

「達成感あるーって顔してますねぇ、会長さん」

「う……。わ、分かったわよ！　認《みと》めるわよ！　RPGは、必ずしも下らないジャンルってわけじゃないわよ！」

「えへへ。やったー！　真冬は、遂《つい》に、会長さんを丸め込みました！」

真冬ちゃんは、俺、知弦さん、深夏とハイタッチを交《か》わす。俺たちも笑顔《えがお》でそれに応《おう》じ

ぱあっ

くす

る。

会長は悔しまぎれに、「で、でも、認めたのはこのRPGだけであって、世の全部のRPGを認めたとか、そういうわけでは――」などと見苦しい言い訳《わけ》をしていた。が、誰もそんなのは聞いちゃいない。

ラストバトルが多少想定外だったとはいえ、自分達の創作物《そうさくぶつ》を認められるのがこんなに嬉しいことだとは。

俺達はただただ、浮《う》かれ続けていた。

そう。

会長に新しい楽しみを発見されるというのが、どれほど危険《きけん》なことかという、普段《ふだん》なら簡単《かんたん》に気付けることに、気が回らないぐらいには。

この翌日《よくじつ》、会長は、こう言い出すことになる。

「時代はRPGよ！　というわけで、本の次は、生徒会でも本格的《ほんかく》にRPGを作ろうと思うわ！　シナリオ監修《かんしゅう》は、勿論《もちろん》私よ！　さあ、早速《さっそく》作業にとりかかろ――！」

……こうして、俺達は、新たな悪夢《あくむ》……徹夜《てつや》だらけどころか、休日まで返上する真の地獄《じごく》期間に突入《とつにゅう》するわけだが。

それは、また、別の話。

……っていうか、続けて語れるような気力が、もう、ないッス。

【第三話～取材される生徒会～】

碧陽《へきよう》学園新聞　夏の生徒会特集号

ご機嫌麗《きげんうるわ》しゅう、皆《みな》さん。「どこかの会長と違《ちが》って胸《むね》も大きい美少女」藤堂《とうどう》リリシアですわ。今回は新聞部部長であるわたくし自ら、生徒達から寄《よ》せられた質問《しつもん》を参考にインタビューを行いましてよ。

わたくしの華麗《かれい》な取材記録をとくとご覧《らん》あそばせ。おーほっほっほっほ！

それでは、スタートですわ。

こほん。それでは、インタビューを始めたいと思いますわ。準備《じゅんび》はよろしくて？

「…………」

あらあら。生徒会長さんともあろう者が、生徒の部活動に対してその態度《たいど》とは、どういう了見《りょうけん》でございましょう。

「うく……」

それでは、まず、自己紹介《じこしょうかい》からお願い致《いた》しますわ。

「………（ムスッとした様子で）生徒会長の桜野《さくらの》くりむよ」

はい、よく出来ましたわ（なでなで）。

「子ども扱《あつか》いするなぁ――――――――！」

というわけで、まずはこのちびっこい生徒会長さんから、お話を伺《うかが》っていきますわ。

「紹介が既《すで》に悪意に満ちてるのよっ、リリシアはっ！」

それでは早速《さっそく》質問に移《うつ》りますわよ。まず……そうですわね。身長は？

「インタビュアーの変更《へんこう》を可及的《かきゅう》速《すみ》やかにお願いするわっ！」

あらあら、冗談《じょうだん》の通じないお子様ですわね。仕方ありません。それでは……今年の春から生徒会長として活動されていますが、手ごたえの程《ほど》は？

「う……マトモな質問ながら、トゲがある、普通《ふつう》にイヤな質問ね……」

この言葉にトゲがあると受け取る方に問題があるのではなくて？

「わ、私は今のところ立派《りっぱ》に会長を務《つと》めあげてるもん！　なにも後ろめたいことなんて、ないんだからっ！」

………。インタビューには、素直《すなお》に答えていただかないと……。

「どういう意味よっ！」

まあいいですわ。それでは、具体的に。今年に入ってからの生徒会に関して、生徒達から「珍妙《ちんみょう》な活動が目立つ」との声が上がっていますが、これに関してどう思われますか？

「珍妙とは失礼なっ！　斬新《ざんしん》と言ってほしいわね！」

自信を持って活動していると言いますの？

「そうよ！　今期の主な私の活躍《かつやく》に関しては、既に刊行済《かんこうず》みの『生徒会の一存《いちぞん》』等を参照してくれればいいと思うわっ！」

…………………………。…………………………ふっ。

「インタビュアーが鼻で笑った！」

こほん。それでは次の質問に参りますわ。

「基本的《きほん》にインタビュアーに悪意がありまくりなのよ！　リスペクトがないのよ！」

一部生徒から「あれで満足しているとは、生徒会も堕《お》ちたものですわね」との声が上がってますが……。

「貴女《あなた》の心の声でしょう、それ！」

会長を降《お》りる気などあるのでしょうか？

「無いわよ！　どんだけ失礼な取材なのよ！」

一部生徒からは「藤堂リリシアに会長職《しょく》を一任《いちにん》すれば、もっと面白《おもしろ》いことになると思いますわ」との声が上がっておりますが……。

「だから、代弁者《だいべんしゃ》のふりして自分の意見を言うのはやめてっ！　もう、インタビュアーの領域《りょういき》を遥《はる》かに逸脱《いつだつ》しているよっ！」

会長さんが興奮《こうふん》気味のようですので、ここでしばし休憩《きゅうけい》を挟《はさ》みますわ。


休憩中……。


では、再開《さいかい》致しましょう。会長さん、落ち着きまして？

「貴女が優雅《ゆうが》に紅茶《こうちゃ》を飲む光景を見せ付けられただけで、どうして落ち着くのよ！」

議論《ぎろん》もヒートアップして参りました。それにしてもこの会長さん、ノリノリでございます。

「……もういいわ」

それでは、今度はプライベートな方面での質問をさせていただきたく思いますわ。生徒会役員の皆《みな》さんとは、普段《ふだん》から親交があるのでしょうか？　仲良しこよし集団《しゅうだん》というイメージが強いですが……。

「いちいちトゲのある言い方よねぇ！……でも、実際《じっさい》、同じクラスの知弦《ちづる》以外は、殆《ほとん》ど生徒会室以外で会うことないわね」

それはちょっと意外ですわね。

「そう？　放課後結構《けっこう》長時間喋《しゃべ》るからね。丁度いいんじゃないかな」

ふむふむ。……「生徒会室では世間話ばかりして、仕事をしていない……」と。

「発言を歪《ゆが》めて報道《ほうどう》しないでよ！」

マスコミなんて、そんなものですわ。

「学生らしい健全な活動しなさい！」

……仕方ないですわね。では、次の質問です。会長さんと言えば「ロリ」ですが、その辺に関してはどう思われて？

「これはもうインタビューという名のイジメなんじゃないかしら！」

心外ですわね。わたくしは常《つね》に「晒《さら》し上げ精神《せいしん》」を胸《むね》に、誇《ほこ》りをもって仕事に取り組んでますわ！

「人類の底辺ね」

そんなことより、今は質問に答えなさいな。

「わ、私はまだ『発展途上《とじょう》』なだけよっ！　ロリとか言うなっ！」

一部では「実は小学生説」まで持ち上がっていますが。

「ここの生徒はアホばっかりねっ！　確《たし》かに自分の活動に自信なくなってきたわ！」

ふむ。「会長さんは、この件《けん》に関しては言葉を濁《にご》した」……と。

「だから、そういう書き方やめてくださる⁉」

昨今はロリ表現《ひょうげん》にも色々と規制《きせい》がかかり始めてますが、危機《きき》感は当然ありまして？

「ないよっ！　別に私は悪いことしてないしっ！」

では、今後も十八禁《きん》作品への出演《しゅつえん》は無いと？　意外ですわね。

「意外なの⁉　そもそもそんな予定はないよっ！」

この作品に出てくるキャラクターは全員二十歳《はたち》以上です、という表記さえしとけば大丈夫《だいじょうぶ》ですわよ。

「なんの保証《ほしょう》⁉　既《すで》にインタビューでさえないわよねぇ、もう！」

では最後に。全国ロリータ選手権《せんしゅけん》初出場への意気込《ご》みを一言。

「そんなものに参加した覚えはないよっ！」

……「最後まで会長さんは、自分が未成年であることを否定《ひてい》したのだった」……と。

「否定してないよ！　もう、既に記事の改竄《かいざん》どころか捏造《ねつぞう》だよ！」

では、本日はありがとうございました。今後も「あっち方面」でのご活躍《かつやく》、期待しておりますわ。

「どの方面よ！　その期待には絶対《ぜったい》に応《こた》えないことを誓《ちか》うわ！」

最後まで興奮《こうふん》しっぱなしの、桜野くりむさんでした。いやー、若《わか》いって、本当にいいですわね。それでは、さよなら、さよなら、さよなら。

「変な締《し》め方するなぁ――――――――！」

お次は、生徒会書記であります、紅葉知弦《あかば》さんにお越《こ》し頂《いただ》きましたわ。紅葉さん、こんにちは。

「こんにちは（ニコリ）」

実に素晴《すば》らしい作り笑顔《えがお》ですわ。わたくしも見習いたいものですわね。

「ええ。私の作り笑顔は、不愉快《ふゆかい》であればあるほど輝《かがや》きを増《ま》すのよ（ニコニコ）」

…………。……相変わらず身内以外には容赦《ようしゃ》ないですわね……。

「私のアカちゃんを虐《いじ》めていいのは、私と、私に認《みと》められた人間のみということを知りなさい（ニコニコ）」

……こ、こほん。そ、それでは質問《しつもん》に移《うつ》りたいと思いますわ。生徒達の中には、桜野さんより紅葉さんこそ会長職に相応《ふさわ》しいのではないかとの――

うっ…
ニッコーー
……

「(ニコォォォォォォオオオオ)」

…………。…………きゅ、休憩《きゅうけい》しましょう！

休憩中……。

失礼致《いた》しました。再開《さいかい》しますわ。

「うふふ」

……し、質問を改めますわね。こほん。紅葉さんは、書記という役職《やくしょく》についてどうお考えでしょう。

「そうね……。そもそも今期の生徒会は、会長であるアカちゃんが大まかな方向性《ほうこうせい》を決める役割であるという以外は、特にこれといった違《ちが》いを持たないわ。だから、書記についてと言われても、困《こま》るわね」

普段《ふだん》の活動を拝見《はいけん》させていただくに、紅葉さんはかなり主導権《しゅどうけん》を持って会議を動かしているように見えますわよ？

「それは、書記としてというより、単純《たんじゅん》に人間性の問題ね。私は私のやりたいようにやっているにすぎないわ。だから……」

ですから？　なんですの？

「アカちゃんやメンバーを過小評価《かしょうひょうか》するのはやめてね☆（ニコォォオ！）」

…………きゅ、休憩ですわ！

休憩中……。

ふ、ふぅ……。し、質問を変えますわ。よ、よろしくて？

「あら、好きに質問して下さってかまわないのよ？（ニコッ）」

よ、よく言いますわ……。こほん。では、その、生徒会ではなくてプライベート方面の質問で……。

「ふ……ひよったわね」

く……。そ、そんなことありませんわ！　存在《そんざい》自体が謎《なぞ》めいている紅葉知弦の日常《にちじょう》に対する生徒の関心は、とても高いのですからっ。

「まあ、いいけど。それで？」

そうですわね……。では、休みの日などはどのように過《す》ごされて？

「………」

どうしました？

「いえ、話してもいいのだけれど……。この件《けん》、恐《おそ》らく新聞には書けないわよ？」

？　それは、一体どういう……。

「例えば、家ではパソコンを使って某国《ぼうこく》の○○○を、×××にしてしまったり、外に出たら出たで血まみれの××に対して○○を突《つ》きつけたりと――」

や、やはり結構《けっこう》ですわ。それでは質問を変えて。紅葉さんのお好きな食べ物など、お聞かせ願いますわ。

「あら、随分温《ずいぶんぬる》い質問ね。でも……まあ、そうね。基本《きほん》的になんでも食べるけど、辛《から》いものとか好きよ」

例えば？

「ハバネロ味の黒糖《こくとう》とか」

なんですのその未知の食べ物！

「黒糖味のハバネロでも可《か》よ」

それはむしろ甘《あま》そうですわよねぇ！　普通に黒糖食べればいいのじゃないかしら！

「バナナ味のチョコでも可」

もうそれは確実《かくじつ》に甘いですわよ！　辛いもの好きなんですわよねぇ!?

「基本的にはなんでも食べると、最初に答えたじゃない」

そ、それはそうですが……。じゃあ、中でも特に好きなものはなんですの？

「バニラクリームフラペチーノ」

確実に甘党《あまとう》ですわよねぇ！

「失礼な。こう見えても私、ス○バじゃフラペチーノ以外飲まない女よ」

全く甘党の否定《ひてい》になってませんわよっ！

「ああ、そういう意味では、冷たいモノが好きかもしれないわね」

あ、ああ……そうですわね。それは、なんとなく、似合《にあ》ってますわね。

「ええ。……あ、ちょっとごめんなさい。メールしていいかしら」

？　ええ、いいですわよ。早めに済《す》まして下さいませね。

「大丈夫《だいじょうぶ》よ。母親に、『今日の夕飯《ゆうはん》は鍋《なべ》がいいわ』と送るだけだから」

温かいものも大好きですわよねぇ！　この夏場にまで鍋なんて！

「お待たせ。好きな食べものについて、だったわよね」

もういいですわ……。

「そう？　他《ほか》にも語りたいこと多かったのに……。私、ほら、好き嫌《きら》い多いじゃない？」

貴女《あなた》インタビューをなんだと思ってますの！　貴女ほど取材に手ごたえが感じられない対象も初めてですわよ！

「お褒《ほ》め頂《いただ》いて光栄ね」

……………ふぅ。いいですわ、もう。次の質問に行きますわ。ええと、それでは、読書傾《けい》向《こう》などをお聞かせ下さいませ。

「そうね……。基本的にはなんでも読むわ」

またですか……。

「ガ○ンから、フ○ムエー、就職《しゅうしょく》ジャー○ル、とら○ーゆまで……」

変なところに偏《かたよ》ってますわよねぇ！　なぜ高校生がそんなっ！

「……ちょっと言うのは憚《はばか》られるような目的のためよ」

就職情報《じょうほう》誌をそんな目的のために使わないで下さいな！

「あと、好きな漫画《まんが》雑誌《ざっし》は『ち○お』よ」

似合わなっ！

「……（ニコリ）」

い、いえ、なんでもありませんわ。面白《おもしろ》いですわよね、「ちゃ○」。

「『はぴは○クローバー』には、いつも共感させられるわ」

そ、そうなんですの。

「『○ゃお』の次号の付録《ふろく》を楽しみに、今の私は日々生きていると言っても過言《かごん》ではないわね。紅葉知弦が生きる理由の五割《わり》を『ち○お』が占めてるわ」

……まあ、いいんじゃないかしら。

「その一方で、文藝○秋の購読《こうどく》も欠かさない私」

最早《もはや》多重人格《じんかく》の領域《りょういき》としか思えないですわね。

「何を言うの。どの雑誌も、とても売れている雑誌なのよ。極《きわ》めて一般《いっぱん》的な感性《かんせい》と言えるのではないかしら」

……もういいですわ。では、これは男子生徒からの質問が凄《すご》く多かったのですが、好きなタイプなど——

「アカちゃん。それ以外になし」

……ここだけ、雑食どころか、一筋《ひとすじ》なのですわね……。まあ、それはいいのですが、一応《いちおう》、異性《いせい》で答えて下さいませんこと？

「じゃあ、キー君的な子ね」

と申しますと？

「……いくらS行為《こうい》をしてもへこたれない、肉体的・精神的《せいしん》両面におけるタフさ。そして扱《あつか》いやすい中身。男らしい素直《すなお》さと、しかし、愚《おろ》かではない心。普段《ふだん》と赤面時のギャップ。自分色への染《そ》めやすさ。その他諸々《もろもろ》あるけど、今のところキー君がダントツね」

……誰《だれ》も参考にしたくない情報でしたわね……。

「貴女が訊《き》いたんじゃない」

なに訊いても、予想通りの答えが返ってこない人ですわね。

「買い被《かぶ》りよ。私も、ただの一般的な高校生よ」

また、心にもないことを言うのですわね。

「……いいえ。本当に、そう思ってるわ。確《たし》かに、自分は少し変わっているかもしれないけど……。それは、皆《みんな》に言えることでしょう。勿論《もちろん》、貴女にも」

……そう、かもしれませんわね。

「ふふふ。とりあえず他の生徒会役員にもインタビューしてみればいいわ。彼らと接《せっ》していると、むしろ、『変わっている』ことこそが『真の一般人』なんじゃないかと思うでしょうから。……ごめんなさいね、ちゃんとしたインタビューにならなくて」

……いえ、とても有意義《ゆういぎ》な時間でしたわ。

「そう。ならいいけど」

それでは、ありがとうございました。

「それで、ギャラはいつ振《ふ》り込《こ》まれるのかし――」

ありがとうございましたですわ――――！


さて、お次はこの方ですわ。

「正義を愛する世紀末の救世主……ライジングエアとはあたしのことだぁ！」

というわけで、椎名深夏《しいなみなつ》さんです。妹さんのことも考え、便宜《べんぎ》上今後は深夏さんと呼《よ》ばせていただきます。深夏さん、こんにちはですわ。

「……く、知弦さんの後にしたのが失敗だったか……。すっかり、ちょっとやそっとのことじゃ動じなくなってやがる……」

早速質問《さっそくしつもん》、よろしくて？

「いいぜ。どんと来い！」

深夏さんは、レズなのですわよね？

「ぐはぁっ！　ほ、本当にどんと来たなぁ！」

ずばり、同性愛《どうせいあい》の魅力《みりょく》とは一言で言うとなんでございましょう？

「言えるかぁああああああああああああ！」

ふ、深いですわね。「そんなもの、一言では言い尽《つ》くせないぜ……」と。

「曲解《きょっかい》だ！」

そもそも、目覚めたキッカケはなんですの？

「まずアンタが目を覚ませ！」

ふ、深すぎますわ！「真の愛は同性愛にある！　全《すべ》ての女性よ、目を覚ませ！」……

ということですわね！

「あたしがどんどんその道のカリスマ化されていく！」

自らカリスマまで名乗るとは……凄《すご》すぎますわ！

「インタビュアーの変更《へんこう》を要請《ようせい》する！　リスペクトされすぎでイヤだよ！」

では、そろそろ他の質問に移《うつ》りましょう。

「この状況《じょうきょう》のまま移るなぁああああああああ！」

ええ、深夏さんの「まだまだ同性愛に関して語り足りないぜぇ！」という想《おも》いはごもっ
ともなのですが、わたくしにも仕事がございますので。

「……うぅ、これ以上粘《ねば》っても余計泥沼《よけいどろぬま》にハマるだけの気がしてきたぜ……、いいよ、次

の質問でもなんでも好きにしろいっ！」

ありがとうございますですわ。それでは、深夏さん。

「なんだよ」

妹さんとの関係について一言。

「姉妹《しまい》だよ！　それ以外に何があるってんだよ！」

それを訊きたいのですわ。……あ、R指定されない範囲《はんい》でお願いしますわ。

「そんなお願いされるまでもなく健全だよ！　ただの姉妹だって！」

以前、校内ラジオ放送で禁断《きんだん》の関係を暴露《ばくろ》されてましたが……。

「あれは創作《そうさく》！」

なるほど。リアルはもっと凄いと。……わかりました。わたくしも鬼《おに》ではございません。

これ以上は、あえて訊かないでさしあげますわ。感謝《かんしゃ》なさいませ。

「ありがとう、そして一発殴《なぐ》らせてくれ！」

さて、深夏さんが恥《は》ずかしがるので話題を変えまして。深夏さんは「熱血」「最強」等の言葉に反応《はんのう》されることから、少年漫画《まんが》に傾倒《けいとう》されているようですが……。

「おうよ！　少年漫画のことならなんでも訊いてくれよ！」

では質問ですわ。やはり、深夏さんが「攻《せ》め」なのでしょうか？

「あたしへの質問はそんなんばっかりかぁ――――――――――！」

ふむふむ。「答えるまでもない」というわけですね。いい答えですわ。

「スネークバ○トでその口を塞《ふさ》いでやろうかっ」

仕方ないですわね。では、そんな深夏さんが一番好きな漫画はなんでしょう。

「ふ……そんなものはねぇ」

はい？

「熱い物語に優劣《ゆうれつ》をつけるなど、無粋《ぶすい》にも程《ほど》があるってぇもんだぜ！」

はぁ。

「平気で星をぶっ壊《こわ》す規模《きぼ》のヤツも好きだし、相手がパワーアップしたらこっちもパワーアップしての無限《むげん》ループも大好物だし、素早《すばや》い表現《ひょうげん》は毎回『一瞬《いっしゅん》で背後《はいご》に回られる』だけでも全然オッケーだぜぇ！」

よく分かりませんが、とても造詣《ぞうけい》が深いのだけは伝わってきましたわ。

「小説だって嫌《きら》いじゃないんだぜ？　司馬《しば》○太郎《たろう》の『燃《も》○よ剣《けん》』で、土方《ひじかた》が『唸《うな》れ、俺《おれ》のヒートブレードォォ！』と必殺技《ひっさつわざ》を放った時は、興奮《こうふん》したなぁ」

大変ウットリされているとこ申し訳《わけ》ないのですが、その記憶《きおく》はもう一度ゆっくり見直されることをオススメいたしますわ。

「あと、ムシウタとか禁書目録《インデックス》とかバカテスとか大好きだぜ」

生徒会って、富士見書房《ふじみしょぼう》と結びつき深いのではありませんでしたっけ？

「……ファンタジア作品を好きなことは、言うまでもあるまいな」

絶対《ぜったい》ちょっと忘《わす》れてましたよね、今。ご自分の立場。

「そ、そんなことねぇよ。ファンタジア文庫大好きに決まってるだろ！　熱いという意味では、こんなに王道であたしのどストライクばかり打ち抜《ぬ》いてくるレーベルは他《ほか》にねぇ！」

そうですか。どんな作品がお気に入りなのです？

「『生徒会の一存《いちぞん》』とか」

まさかの自画自賛《じさん》ですわねっ！

「う……。い、いや、あたしはただ、えーと、そう、『この日常《にちじょう》が……本当は一番愛《いと》しいのさ』ということを言いたかっただけだよ、うん」

いい話にしようとしてますけど、目が泳いでますわよ。

「そんなことねぇ！　好きだよ、ファンタジア！　過去《かこ》何度『竜破斬《ドラグ・スレイブ》』を練習したことかっ！」

ああ、子供《こども》の頃《ころ》ってやりますわよね、そういうこと。

「おう。子供の頃から、一昨日《おととい》遂《つい》に習得するまで、一日も練習を欠かさなかったぜ」

「ああ……。結構《けっこう》最近までやってたんですわねっ！　しかも習得しましたの⁉」

「見るか？　校舎《こうしゃ》どころかこの街消えるけど」

遠慮《えんりょ》しておきますわっ！

「二代目リナを襲名《しゅうめい》してもいい勢《いきお》いだな、あたし！　なんせ『竜破斬』撃《う》てるんだぜ！

あの、『メタリックな触手《しょくしゅ》が大量に召喚《しょうかん》されて対象をズタズタにする』必殺技、『竜破斬』がっ！」

それは「竜破斬」じゃないのでは……。貴女《あなた》一体、何を習得しましたの……。

「今度食らわせてやるよ、藤堂先輩《せんぱい》」

だから、結構ですわよ！　こほん。……もう、他の話題へとシフトさせますわ。

「えぇー。まだ語り足りねぇのにー」

ああ、そうそう。これは男女問わずとっても沢山《たくさん》の方に頂《いただ》いた質問《しつもん》なのですが……。

杉崎鍵《すぎさきけん》との結婚《けっこん》式予定日はいつですの？

「なんだよ」

そろそろ告知して頂かないと、皆《みんな》にも都合というものがありまして……。

「な――――！」

「そ、そんな予定はねぇよ！　なんでだよ！　なんでそんな質問が多いんだよ！」

クラスでの夫婦漫才《めおとまんざい》には定評《ていひょう》がありますものね。

「あたしは望まねぇ評価《ひょうか》ばっかり受けてんなっ！」

では、杉崎鍵のことは眼中《がんちゅう》に無いと？

「ねぇよ！　アイツと夫婦なんて、死んでもイヤだわっ！」

それでこそ深夏さんですわ！「あたしは一生同性愛《どうせいあい》に生きる！」と……。

「ああ、しまった！　また不用意な発言をっ！」

あら？　次インタビュー予定だった杉崎鍵が、今、泣きながら廊下《ろうか》を走っていってしまったようですわね。

「アイツは乙女《おとめ》かっ！」

……追いかけなさい、椎名深夏。今ならまだ……間に合いますわ。ふっ。

「いやいやいやいや！　アンタ、なに『いい味出しているサブキャラ』っぽく振《ふ》る舞《ま》ってるんだよ！　追いかける気毛頭《もうとう》ねーよ！」

ではまあ、そんなわけで、椎名深夏さんでしたわ。ありがとうございました。

「ここで締《し》めるんだっ！　あたしに一切《いっさい》メリットないインタビューだったなっ！」

ほら……行ってあげなさいな、深夏さん。待ってるわよ……彼。

「藤堂先輩《せんぱい》……。……って、だから、無駄《むだ》にラブコメ空気に持ってくなぁ――――！」

と言いつつ、なんだかんだで結局「仕方ねぇなぁ」と杉崎鍵を迎《むか》えに行ってくれる、深夏さんなのでした。

というわけでお次は、杉崎鍵が帰ってこないため、先に椎名真冬《まふゆ》さんにインタビューさせて貰《もら》いますわ。こんにちは、真冬さん。

「こ、こんにちは」

緊張《きんちょう》してらっしゃるようですわね。

「あ、あぅ。……真冬、生徒会役員さん以外の人と喋《しゃべ》るのは、まだ苦手です……」

少し休憩《きゅうけい》しましょうか？

「あ、はい。じゃあ、お言葉に甘《あま》えて……」

休憩中……。

……あのぉ、真冬さん。そろそろ再開《さいかい》したいのですが……。

「（DSをいじりながら）ちょっと待って下さい。今、いいとこなんです。二階の時点で既《すで》に『合成の壺《つぼ》』や『風魔《ふうま》の盾《たて》』が出るなんて……これはイケます！」

は、はぁ。じゃあもうちょっとだけ待ちますわ……。


休憩中……。


「やった、『地の恵《めぐ》みの巻物《まきもの》』！　強化はとても順調ですよ、今回！」

あのぉ……その、そろそろインタビューを再開——

「にゃっ！　ここでサビの罠《わな》なんて……ムキィー！」

…………。


休憩中……。


えと、あの、もうそろそろ再開していただかないと、流石《さすが》に——

「はわぁっ！」

ひっ！　ど、どうしたんですの、大声出して！

「……どうしてくれるんですか。この重要な局面で話しかけるから、真冬のシ○ン、倒《たお》れちゃったじゃないですかっ！　地雷《じらい》と落石のコンボでやられちゃったじゃないですかぁ！　どうしてくれるんですかぁっ！　わぁーん！　凄《すご》く好条件《こうじょうけん》の冒険《ぼうけん》だったのにぃ！」

そ、それは申し訳《わけ》なかったですわね……。でも、あの、ゲーム終わったのでしたら、そろそろインタビューを再開──

「ソフト取り替《か》えて……ポチッと。よし、今回は昨日手に入れた奇跡《きせき》的な個体値《こたいち》のピチ〇ーをじっくりと育てて──」

いい加減《かげん》になさいませっ！　この中毒者がぁっ！

説教中……。

「しゅん……」

はぁ、はぁ。そ、それではインタビュー、始めますわよ。

「はい……。すいませんでした……」

もう今のやりとりで充分《じゅうぶん》実感しましたが、真冬さんは、ゲームが趣味《しゅみ》のようですわね。

「はい。真冬は、ゲームが大好きです」

……普段《ふだん》からここまで盲目《もうもく》的ですの？

「そんなことないです！　真冬だって、ちゃんと節度をもって接《せっ》してますよ！」

し、失礼しましたわ。

「ゲームは一日二十四時間までと厳《きび》しく自分を律《りっ》してます！」

上限目一杯《じょうげんめいっぱい》設定《せってい》していますわよねぇっ！

「そりゃあ、たまに超《こ》えてしまうこともありますが……」

ゲーム愛で時間の壁《かべ》まで超《こ》えましたわねぇっ！

「そんなわけで、真冬は忙《いそが》しいのですよ。インタビューは手短にお願いします」

なぜ急に上からなんですのっ！　わたくし上級生ですのにっ！……こほん。いいですわ。

もう、ゲーム関連の話題はやめましょう。

「イヤです」

拒否《きょひ》!?　いい加減にして下さいっ！

「……しゅん。ごめんなさいです」

ゲームのこととなると見境《みさかい》なくなる子ですわね……。

「えへん。ボーイズラブのことでも見境なくなりますよ、真冬は！」

なぜ誇《ほこ》らしげなんですの！　褒《ほ》めてませんわよ！

「しゅん……」

躁鬱《そううつ》が激《はげ》しいですわね……。こっちが疲《つか》れますわ……。

とにかく、仕切り直しまして。ええと……そうですわね。趣味関連はやめると致《いた》しまして……そうそう、体調に関する質問《しつもん》が多いですわね。

「体調……ですか？」

ええ。真冬さんは、少し病弱との情報《じょうほう》があるのですが、これは事実なのでしょうか？

「あ、はい。と言っても、子供《こども》の頃《ころ》の話ですよ。今は……この通り、徹夜《てつや》でゲームする元《げん》気娘《きむすめ》です！」

違《ちが》うビョーキですわね、それは。……まあ、周囲のイメージほど体は悪くないと。

「はい、元気元気です。ただ、一歩歩くごとにダメージ受けるだけで……」

病気じゃなくて、毒状態《じょうたい》ですわよねぇ！

「うまく歩けば、ちゃんと家と学校往復《おうふく》できますので大丈夫《だいじょうぶ》です！」

うまく歩かなかったら、登下校で死にますわよねぇ！　というか、そういう冗談《じょうだん》をインタビューで言うのはやめて下さいませんことっ！

「しゅん……。ごめんなさい。真冬、毒攻撃《こうげき》受けていませんでした」

じゃあ、体調は概《おおむ》ね良好ということでよろしいですわね。

「あ、でもその……体力は全然ないです、真冬。だから、弱いには弱いのですよ、体。子供の頃にあまり体動かせなかったせいかもしれません」

そう……でしたの。

「だから、無理な運動は厳禁《げんきん》なのですよ。普通に過《す》ごす分には問題無いですけど、無理すると すぐに体調崩《くず》しちゃいます。昔からそんな風なので、真冬、寝《ね》つきもとても悪くてですね。ついゲームを……」

では、趣味に関しても……。

「アクティブなことは出来ませんから。でもゲームなら、ボタン押《お》すだけで人並《ひとな》み以上に暴《あば》れ回れちゃうのですよ！　素晴《すば》らしいです、ゲーム！」

ええと、いい話に成りつつあるのですが、結局ゲーム賛美《さんび》ですわね。

「ゲームは人生！」

……そういう体に生まれたこと、むしろ、免罪符《めんざいふ》にしてませんか、貴女《あなた》。

「ぎくっ。……そ、そんなことないですよ！　真冬は、もう、ホント、仕方な～く、ゲームに傾倒《けいとう》しているのですっ！　こ、この体さえ病弱じゃなければ、今頃真冬は、アルプスの大自然を裸足《はだし》で駆《か》け回っていることでしょう！」

絶対《ぜったい》無いと思いますわ。

「……でも、お姉ちゃんは少なからずそう思っているようです。元々運動好きですけど、あそこまで真冬と対照的に体を動かすのは、真冬の分まで自分が縦横無尽《じゅうおうむじん》に暴《あば》れて、それを見ている真冬にも少しでも充実《じゅうじつ》感を分け与《あた》えてあげたい、なんて思ってくれているみたいなのですよ」

……いいお姉さんですわね。

「はい。……おかげで真冬は、インドア趣味《しゅみ》に集中出来るというものですよ。うふふふ」

歪《ゆが》んでますわっ！　妹の方は、激《はげ》しく歪んでますわ！

「お姉ちゃんと真冬は一心同体。お姉ちゃんが運動たぁくさんしているので、真冬はしなくてもいいんです。お姉ちゃんが勉強たぁくさんしているので、真冬はゲームをたぁくさんしていいのです」

典型的な甘《あま》やかされて育った子ですわっ！

「あぁ、美しきかな姉妹愛《しまいあい》」

かなり一方通行気味に感じるのは、わたくしだけでしょうかっ！

「し、失礼ですっ！　真冬もちゃんとお姉ちゃんに還元《かんげん》してますよ！　お姉ちゃんがプレイ中のRPGの先の展開《てんかい》を懇切丁寧《こんせつていねい》に教えてあげたり……」

激しくありがた迷惑《めいわく》ですわねっ！

「真冬秘蔵《ひぞう》の『杉崎先輩妄想《せんぱいもうそう》BL　R指定版《していばん》』をこっそり見せてあげたり。……なぜかいつも苦笑い気味ですが、あれはとても喜んでいるのだと、真冬は思います」

姉妹なのに全然気持ちが通じてませんわねっ！

「……むぅ。なんですか、藤堂先輩。もっと真冬を持ち上げて下さい。インタビューなんですから」

貴女、当初と態度《たいど》が違いすぎますわよ！　意外とふてぶてしい人ですわねっ！

「……けほっ、けほっ。……これは……血……」

出てないじゃありませんかっ！　病弱キャラ押しはやめて下さいませんことっ！

「すいません……真冬の命は残りわずかなようです……。……最後に貴女に会えて……よかっ……カクッ。……（ここで、平《ひら》○堅《けん》の曲流して下さいね）」

勝手にインタビューを感動的な終わり方で締《し》めないで下さる!?

「カット。はい、お疲れ様でしたぁー。真冬、帰ります〜。……今日はテイ○ズ最新作の発売日なんで」

だから強引《ごういん》に終わらせにかかったのですかっ！　結局ゲームなんですわねっ！

「るんるるるんるるーん♪」

ああっ！　鼻歌を口ずさみながらの高速スキップで素早《すばや》い帰宅《きたく》！　無理な運動は出来ないというのも嘘《うそ》なのじゃありませんこと!?

えーと、そんなわけで、最後はようやく帰ってきました杉崎鍵さんですわ。

「どうも。皆《みんな》のアイドル、杉崎鍵です」

無駄《むだ》に歯をキラリとさせております。深夏さんに関する傷心《しょうしん》はもう癒《い》えまして？

「傷心なんか初めからしてませんよ。ええ、生徒会メンバーの心は既《すで》にガッチリ摑《つか》んでいると自負していますから」

その割《わり》には扱《あつか》いが微妙《びみょう》ですわね。

「照れ屋さんなんです、皆」

相変わらず、幸福な頭脳《ずのう》をしてらっしゃるようで安心しましたわ。さて、早速質問《さっそくしつもん》、よろしくて？

「いいですよ。今付き合っている彼女は四人です」

そんな妄想四股《よつまた》告白はさておき。やはり一番多い質問はこれなのですが……。

杉崎さんは、いつになったら転校してくれるのですか？

「なんですか？」

「俺《おれ》の支持率《しじりつ》0パーセント⁉」

自分の普段《ふだん》の行動を顧《かえり》みて、どこかに支持される要素《ようそ》があると思ってまして？

「いや、俺、頑張《がんば》ってますよ！　モテるために！」

生徒のためにじゃないんですわね。

「なぜだっ！　なぜこの学校の女子は俺に食いつかん！」

うちの女子生徒達も、食べていいものと悪いものの区別ぐらいつきますからね。

「俺はこんなにも瑞々《みずみず》しい、新鮮《しんせん》とれたてピチピチなイケメンだというのにっ！」

新鮮云々《うんぬん》以前に、そもそも貴方《あなた》という食材に人気がないのですわ。

「リリシアさんは、俺のこと好きですよね？」

…………。…………。…………。ええ、まぁ、好きですわよ（ニコッ）。

「今、あからさまに取材のためにお世辞《せじ》言いましたよねぇ！」

で、では次の質問に参りますわ。結局のところ、杉崎さんは、誰《だれ》のことが一番好きなんですの？

「だから、いつも言ってるじゃないッスか。俺の中では皆が一番だと」

最近の温《ぬる》い小学校の運動会じゃないのですから。

「皆、世界に一人だけの、もともと特別な、オンリーワンです」

それは絶対《ぜったい》に「ハーレム推奨《すいしょう》」という意味ではないと思いますわ。

「確《たし》かに、そろそろ個別《こべつ》ルートに確定《かくてい》させないとバッドエンド直行しかねないんじゃないかという、皆《みんな》の危惧《きぐ》は分かります」
・いえ、誰もそんなことは……。
「しかし、俺はそれでも歩み続ける！　好感度を平均的《へいきん》に上げることで至《いた》れるであろう、素晴《すば》らしきハーレムルートを！」

……結局、誰か一人を本気で愛しているわけではないと。

「違《ちが》う！　皆のことを同時に深く愛しているというだけのこと！」

まあ、いいですわ。しかし……ここで面白《おもしろ》い情報《じょうほう》がありますのよ、杉崎さん。

「な、なんですか……その、邪悪《じゃあく》な目は……」

先日の二股疑惑《ぎわく》に関して追加調査致《ちょうさいた》しましたところ、なんとその相手は幼馴染《おさななじみ》と義理《ぎり》の妹とのことで。

「……まぁ、その件《けん》は『生徒会の一存《いちぞん》』にも書いちゃいましたから、別に今更隠《いまさらかく》すようなことでも――」

しかし、結局バッドエンドを迎《むか》えたと言いつつも、実はその二人、近頃《ちかごろ》――

「わぁ――――！　よ、余計《よけい》なこと言わないで下さい！　生徒会メンバーに動揺《どうよう》が走るじゃないッスかっ！」

ハーレム絶賛拡大中《ぜっさんかくだいちゅう》ですわね。この調子で増《ふ》え続けて、身が持つとお思い？

「夜の生活ならいくらでもドンと来い！」

イヤな自信に溢《あふ》れてますわねっ！

「なんにせよ俺は、ハーレムルートを爆進《ばくしん》しますよ。飛鳥《あすか》も林檎《りんご》も……生徒会メンバーも、皆絶対に幸せにしてやります。誰が一番とかじゃないです。皆、俺の大切な人達です」

その思想はいつか、破綻《はたん》するように思われますが。

「そんな常識《じょうしき》さえ打ち破《やぶ》ってやりますよ。それを成すことが、俺の全《すべ》てだ」

………………。

「……今ちょっと俺、カッコよかったですよね？　思わず惚《ほ》れちゃいました？」

いえ、あまりにアホなので、インタビューの中止を若干《じゃっかん》考えてしまいましたわ。

「見捨《みす》てないでぇ――――！」

仕方ありませんわね。話題を変えます。杉崎さんのご趣味は――

「エロゲです！」

なんでも堂々と言えばカッコイイと思ったら大間違いですわよ！

「この趣味、恥《は》ずかしがったら負けかなと思ってます」

……では、エロゲの魅力《みりょく》とは、一体なんですの。

「努力次第《しだい》で確実《かくじつ》にヒロインをオトせるところです！　まあ、たまに事前告知では攻略《こうりゃく》ヒロインのようにキャラ紹介《しょうかい》をしておいて、いざ発売されるとそのキャラが攻略対象じゃないなんて悲劇《ひげき》もありますが……」

個人《こじん》的には、エロゲってイラスト含《ふく》めどれも似《に》たようなものに見えるのですが……。

「まあ、否定《ひてい》はしませんよ。パターンは確《たし》かにありますからね。しかし、これは深夏の熱血論にも通ずるものですが、それでいいんだっ！　むしろそうであるべきなんだっ！　女の子が沢山《たくさん》出てきて、皆主人公が好きで、一波《ひとは》乱《らん》ありつつも、最後はちゃっかり結ばれる！　ですから最近の奇をてらった作品ばかりが評価《ひょうか》される風潮《ふうちょう》には、俺は猛烈《もうれつ》に——」

もういいですわ。貴方《あなた》の情熱《じょうねつ》はよぉく伝わってきましたから。一応《いちおう》そこまでハマる経緯《けいい》は『生徒会の一存』で読ませていただきましたが、よくもまぁ飽《あ》きずにいつまでも継続《けいぞく》出来るものですわね。

「真のエロゲユーザーたる第一条件《じょうけん》は、『忍耐力《にんたいりょく》』ですからね。若干構図《じゃっかんこうず》が変わっただけの同じような恋愛《れんあい》物語を飽きずに楽しむ力。ヘタレ主人公の行動にイライラしない、寛大《かんだい》な心。そして、度重《たびかさ》なる発売延期《えんき》を『あのメーカーだもんなぁw』で済《す》ませられる、海より深い慈悲《じひ》！」

ふ、深いですわ！　無意味に！

「更《さら》には、どう見てもボリュームが値段《ねだん》に見合わないFD《ファンディスク》をも嬉々《きき》として受け入れ、次回作への製作資金《せいさくしきん》として貢《みつ》ぐ自己犠牲《じこぎせい》精神《せいしん》！　それら全てを兼《か》ね備《そな》えた選ばれし戦士達！

それが、即《すなわ》ち真のエロゲユーザー！」

まったくなりたくはないですけど、なぜか尊敬《そんけい》出来ますわ！

「今こそ俺は世界に呼《よ》びかけよう！　三千円で駄《だ》エロDVDを一本買うぐらいなら、六千円貯《た》めて、名作エロゲを一本買えと！　そうしたら、お前の価値観《かちかん》は絶対に変わる！」

うちの新聞で、変な呼びかけしないで下さいなっ！

「あと、『2』と銘《めい》打ちながらも、ライターと原画家替わるのはどうかと思うんだ」

知りませんわよ！

「そして諸君《しょくん》、意外とメーカー買いはアテにならんぞ！」

だから、どうでもいいですわよ、その豆知識《まめちしき》！

「こすい商売と分かりつつも、全年齢版《ねんれいばん》の十八禁《きん》化には胸《むね》ときめかせざるを得んがな」

もう完全に高校生としての領分《りょうぶん》を逸脱《いつだつ》してますわよねぇ！

「よし……こうなったら、コラム始めましょう、リリシアさん！　『杉崎鍵のエロゲ生活』っていうのを、この新聞で――」

うちの新聞のクオリティを勝手に下げないで下さいます？

「それは残念です」

もう、エロゲ話題はいいですわ……。

では、最後に一つ、ちゃんとした質問《しつもん》しますわね。

「なんです？　改まって」

こほん……。

杉崎さんにとって「生徒会」とは、なんでしょうか。


「当然、俺のハーレ――」

ありがとうございましたですわ。さ、撤収《てつしゅう》撤収。

「ちょ、ま、待って下さい！　冗談《じょうだん》です！　メキシカンジョークです！」

なんですの、メキシカンジョークって。……まあいいですわ。もう一度だけ、チャンスをあげますわ。今度は真面目《まじめ》に答えて下さいませ。

「ＯＫです」

では、貴方にとって「生徒会」とは？

「夢《ゆめ》です」

夢？　てっきり、「家族」とか、そういう答えが返ってくるものと思ってましたわ。

「確かに家族でもあるんですけどね。やっぱり、俺にとっては『夢』です。色んな意味で。いい夢を見ている時のようなこの上なく心地《ここち》良い空間。そして同時に、俺の目標の全《すべ》てが凝縮《ぎょうしゅく》した場所であり、更には他人の幸せばかり考えていていい理想の仕事。そういう……色んな意味での、『夢』です。生徒会は」

…………。ずるいですわ、貴方。

「？　なにがですか？」

なんでもありませんわ。では、今日はありがとうございました。わたくしとしても、今日のインタビューはとても有意義《ゆういぎ》なものになりましたわ。

「それはつまり、俺に惚《ほ》れたということと見ていいですか？」

駄目ですわ。一旦《いったん》死んだらよろしいんじゃなくて？

「取材終わった途端《とたん》冷てぇ！」

それでは、これにて生徒会役員へのインタビューを終わりたいと思いますわ。

これからも生徒会……ではなくて、わたくし達新聞部の活躍《かつやく》にご期待なさいませ！

おーほっほっほっほ!

【第四話～食事する生徒会～】

「生活の基盤《きばん》は食！　食なのよ！」

会長がいつものように小さな胸《むね》を張《は》ってなにかの本の受け売りを偉《えら》そうに語っていた。

っていうか……。

「会長……ネタ切れ気味？」

「うぐ」

最早《もはや》名言と言っていいのか危《あや》ういぐらいの言葉だったため、ツッコンでみる。

会長は、俺から気まずそうに視線《しせん》を逸《そ》らした。

「と、とにかく、今日の議題は《食》よ！　具体的には、購買のメニューについて！」

「議題自体、結構《けっこう》安直に名言と結びついているし……」

「う、うるさーい！」

駄々《だだ》をこねられてしまった。生徒会メンバーも苦笑《くしょう》気味だったので、これ以上いじめるのは控《ひか》えておくことにする。

助け舟《ぶね》を出す意味もあってか、知弦《ちづる》さんが会議を進行させる。

「私からちゃんと説明するとね。先日、購買部の業者さんから相談があったの。最近、どうも新メニューがうまく行ってないって。色々新しい試みはしてみるのだけど、結局売れ筋《すじ》は定番メニューに落ち着いてしまうらしくて」

「それは、そうでしょうね」

俺《おれ》の返しに、椎名姉妹《しいなしまい》も頷《うなず》く。

知弦さんは嘆息《たんそく》しながら続けた。

「そうね。こんな問題は、昔から常《つね》に食に携《たずさ》わる人々が抱《かか》えてきた問題でしょう。それだけに、一筋縄《ひとすじなわ》じゃいかない。購買部の業者さん……おばちゃんもそこで行き詰《づま》っていて、是非《ぜひ》とも、生徒へのアンケートをとって欲《ほ》しいっていう依頼《いらい》が来たのよ。『どんなものが食べたいか』っていうね。でも……」

そこで、深夏《みなつ》が「ははぁ」と納得《なっとく》したように唸《うな》る。

「この学校で、んなアンケートなんかしても無駄《むだ》だろうな。妙《みょう》に個性《こせい》的な面々ばっかりだから、てんでんバラバラの回答が返ってきて、結局参考にならないに決まってるぜ」

「そうなのよ。だから、この議題は保留《ほりゅう》していたのだけれど……」

知弦さんが憂鬱《ゆううつ》そうにしていた。対して、会長は相変わらず元気だ。

「でも、頼《たよ》りにされたんだから、動かないわけにはいかないわ！」

どうも、生徒会を頼りにされたことが嬉《うれ》しいらしい。会長は知弦さんの悩《なや》みを他所《よそ》に、一人張り切っていた。

真冬《まふゆ》ちゃんが、「もしかして……」と何かに気付いたように会長を見る。

「会長さん、今日真冬が生徒会室に来た時、一人でメロンパンをもふもふ美味《おい》しそうに頰《ほお》張《ば》ってましたけど……」

「ぎくり」

「……もしかして……買収《ばいしゅう》されました？」

「…………。……談合《だんごう》とか賄賂《わいろ》って、必要悪よね」

汗《あせ》をだらだら掻《か》きながら、視線を逸らす会長。

衝撃《しょうげき》事実発覚！　うちの会長は買収されていた！　メロンパンで！　業者のおばちゃんに！

俺は、呆《あき》れながら呟《つぶや》く。

「会長……。子供《こども》の精神《せいしん》を持った純粋《じゅんすい》な人だと思っていたのに……そんなに汚《よご》れてしまっていたなんて！」

「人聞きの悪いことを！　それに、汚れる原因《げんいん》があるとしたら、確実《かくじつ》に杉崎《すぎさき》でしょう！」

「俺はそんな汚し方をした覚えはありません！　俺は、性的な汚し方しか興味《きょうみ》ないですからね！　体は汚しても、心は汚さない！　それが俺のジャスティス！」

「何を堂々と！　そ、それに、私は、たまたまおばちゃんから『くりむちゃん、可愛《かわい》いからサービスだよ』って売れ残りをもらっただけで、べ、別に、今日の議題とは……」

「……餌《え》付《づ》けされましたね、会長」

「そ、そんなことないもん！　食べ物に釣《つ》られるほど、お子様じゃないもん！」

「あ、会長、レモン飴《あめ》ありますけど食べます？」

「あ、食べるぅー！」

　俺のポケットから出したレモン飴に、くれくれと言わんばかりに両手を伸《の》ばす会長。

「…………」

　一瞬《いっしゅん》の沈黙《ちんもく》。生徒会中から、会長に突《つ》き刺《さ》さる視線。俺のレモン飴を受け取り、頬張って表情《ひょうじょう》を緩《ゆる》めたところでようやく事態《じたい》に気付く会長。そして……。

「……しゅみましぇんでした」

　生徒会で、不正が、発覚しました。

　溜息《ためいき》をつく知弦さん。

「まあ、買収の件《けん》はもういいわよ、アカちゃん。どちらにせよ、遅《おそ》かれ早かれ議題にはしなきゃいけなかっただろうしね」

「うぅ……知弦ぅ」

「今日のところは、『むにむにアカちゃんの刑《けい》』で許《ゆる》してあげましょう」

「ふぇぇえん」

そう言うと知弦さんは、しくしく泣く会長の頬をむにむにといじりだした。柔《やわ》らかい頬を、横にのばしたり縦《たて》に吊《つ》り上げたり押《お》し潰《つぶ》したりして、感触《かんしょく》や表情を楽しんでいる。

……なにあれ。めっちゃ楽しそう！『むにむにアカちゃんの刑』恐《おそ》るべし！　俺もやりたい！

「……って、杉崎、なに知弦の後ろに立ってるの？」

一旦《いったん》むにむにから解放《かいほう》された会長が、俺の行動を見て首を傾《かし》げる。

俺は満面の笑《え》みで告げた。

「え、このアトラクションの順番待ちですけど……」

「アトラクションじゃないよ！　順番待ってもやらせないよ！」

「二時間ぐらいまでなら、全然待ちますよ？」

「そういう問題じゃない！　いくら待っても、ひゅんひゃんふぁんふぇ——」

そこで知弦さんが再《ふたた》び『むにむにアカちゃん』を開始する。そうして、そのまま俺に振《ふ》り返り、告げた。

「そうよキー君。今日のところは引き下がりなさい。……私、二時間以上やるもの」

「⁉」

会長の顔が恐怖《きょうふ》に歪《ゆが》んでいた。

仕方ないので、俺は素直《すなお》に引き下がる。

「ちぇ。じゃあ、また今度の機会にします」

俺は自分の席に戻《もど》る。会長が目で助けを求めていたが、俺と椎名姉妹《しまい》は見てないふりをした。不正の罪《つみ》は重いのだ。

三年生両名がアトラクションに興《きょう》じている間に、俺達で会議を進行する。

「じゃあ、とりあえずは……生徒会でいくつか新メニュー提案《ていあん》でもしてみるか？　んで、その選択肢《せんたくし》内で生徒アンケートとって、一番人気のを商品化あたりが妥当《だとう》だろ」

俺の提案に、椎名姉妹が同意する。

「それぞれ、何か面白《おもしろ》いアイデアがあればバンバン出してこうぜ！」

「そうだね。でも……真冬はあんまり購買《こうばい》利用しないから、ピンとこなかったり……」

真冬ちゃんが考え込《こ》む。俺は、一応解説《いちおうかいせつ》してあげた。

「うちの購買は、基本《きほん》パンだよ。近くのパン屋さんが卸《おろ》しているからね。定番でいくと、やきそばパンとか、あんぱん、カレーぱん、メロンパン、コロッケパン、メンチカツパン……みたいな。あと、サンドイッチ系統《けいとう》とか、ラスクとかもあったっけな。まあ、なんていうか、普通《ふつう》のパン屋的なオーソドックスなものは一通りあったはずだよ」

「今の時点では、あんまり変わったものはないんですね？」

「いや、なかったことはないと思う。ただ、売れてないせいか、印象に残らずそのまま消えていっただけで……」

そこで、深夏が「そういえば」と思い出す。

「一時期、『セロリサンド』とかあったな」

「そ、それはまた……迷走《めいそう》しているね」

真冬ちゃんの表情がひきつる。言われて見れば確《たし》かに、そういう類《たぐい》のものがあった気がする。俺は節約のために自分で弁当《べんとう》作って持ってきているから、購買の品揃《しなぞろ》えが悪くてもあんまり影響《えいきょう》ないけど。深夏のような常連《じょうれん》は、結構《けっこう》新作も気にしているのかもしれない。

「真冬ちゃんは、購買行かないの？」

「殆《ほとん》ど行かないですね。お弁当がありますし……」

「あれ？　そういや、深夏も弁当だよな？」

深夏に訊《たず》ねると、彼女は「ああ」と素直に答えた。

「母さんが、あたしと真冬の二人分毎朝律儀《りちぎ》に作ってくれているからな。……別にそこまでしなくていいって言ってるのに……」

なぜか、深夏は一瞬《いっしゅん》複雑《ふくざつ》そうな顔をした。なんとなく、深夏はいつも、親の話になると不機嫌《ふきげん》になる傾向《けいこう》にある気がする。

俺は、早々に話を進めることにした。

「じゃあなんで深夏は購買の常連なんだ？」

「ああ、あたしの場合、昼食後の昼休みに体育館とかで運動することもしばしばだからな。結局すぐに腹減《はらへ》ること多いから、そういう時は、よく弁当とは別に買うんだ」

「……太らないか？」

「見れば分かるだろ？」

そういう深夏の体を眺《なが》める。……隙《すき》の無い、ナイスバディだった。

「……今年の夏の体育は、男女共同でやろうという働きかけを起こさなくては」

「何考えているか知らんが、とりあえず一発殴《なぐ》っていいか？」

深夏が拳《こぶし》を構《かま》える中、真冬ちゃんはマイペースに話を進める。

「あ、お姉ちゃんみたいに『弁当もあるけど買う』って人がいるなら、スイーツ系《けい》なんていうのも、ありなんじゃないでしょうか」

「スイーツ系ねぇ……。『(笑)』とかつけられちゃうかもよ？」

「全く意味が分かりませんが、とにかく時代はスイーツです！」

「まあいいけど。菓子《かし》パンじゃ駄目《だめ》なの？」

「ちゃんとデザートになるものがいいですね。例えば……」

真冬ちゃんは顎《あご》に人差し指をやり、しばし考える。

そうして数秒後、とろけるような笑顔《えがお》で提案した。


「う○い棒《ぼう》とか」


「庶民《しょみん》的だ！　それはスイーツと言うのか!?」

「軽いです。とても軽い、美味《おい》しい食べ物です」

「重量的な意味かっ！」

「わ○ぱちでもいいですよ」

「だから、そういうのはスイーツという括《くく》りじゃないと思うよ！　美味《うま》いけどさっ！」

「OLにも大人気ですよ。女性ファッション誌《し》でも、特集組まれまくりですよ」

「わた○ち特集なんて見たことないよ！」

「ともかく、これで購買部《こうばい》も一発逆転です！」

「ただコンビニ化しただけだと思うけど！　却下《きゃっか》だよ！」

「……意地悪です、先輩《せんぱい》」

真冬ちゃんはとても不満そうだった。……いや、そんなの許可《きょか》したら、色々崩《くず》れちゃうだろう、常識的《じょうしき》に考えて……。そして、うま○棒が一番人気になっても、購買のおばちゃんはめっちゃ複雑だろう。

真冬ちゃんに続いて、深夏も提案《ていあん》してくる。

「真冬には悪いけど、あたしはやっぱり、もっとボリュームがあっていいと思うんだ。若《わか》い学生相手なんだし」

「ん、それは一理あるな」

「というわけで、あたしが提案するのは……」

そこで一拍《ぱく》置いて、深夏は、自信満々に告げる。

「ダブルメガビッグてりやきハンバーグ＆ステーキマヨネーズフライドチキン天麩羅《てんぷら》バーガー丼《どん》デラックス」

「重ぉ――――――――――――――――――――――い！」

「お相撲《すもう》さんも大満足のボリュームだぜ！」

「お相撲さんいないし、この学校！」

「それでいて、カロリー控《ひか》えめ、4キロカロリー」

「なにをどうしたらそうなるんだよ！　怖《こわ》いわ！」

「お値段《ねだん》据え置き、十円」

「○まい棒と等価《とうか》⁉」

「やめられない、とまらない」

「この状況《じょうきょう》でそれ聞くと、なんかヤバイ食い物の気がしてくるぞ！」

「常習性《じょうしゅうせい》があるから、売れること間違《まちが》いなし！　後から値段を徐々《じょじょ》に釣《つ》り上げれば、更《さら》なる収益《しゅうえき》も見込めるっつう、かなりの名案だ！」

「それは合法的な食い物なんだよねぇ⁉」

滅茶苦茶《めちゃくちゃ》怖かった。その食べ物に高校が侵《おか》されていく過程《かてい》が、ありありと想像《そうぞう》出来た。

当然の如《ごと》く、それも却下。椎名姉妹《しまい》はぶーぶー言っていたが、そんなものは無視《むし》だ。

仕方ないので、未《いま》だに『むにむにアカちゃん』を楽しんでいる知弦さんにも話を振《ふ》る。

彼女は会長の顔をいじったまま、俺の方を向いた。

「そうねぇ……。私なんかは、やっぱり変わったものが食べたいわね。刺激的《しげき》なものっていうのかしら」

「例えば、どんなのです？」

知弦さんはしばし考えると、会長の顔を横に引っ張《ぱ》りながら告げる。


「あんぱん・エクスタシー（十八禁版《きんばん》）」


「どういうことですかっ⁉」

「キー君も知っての通り、昨今、全年齢《ねんれい》版から十八禁版に転化することは、よくあることよ。その例に則《のっと》って、あんぱんにも革命《かくめい》を」

「高校で十八禁にしたら、教師《きょうし》以外に売れないじゃないですかっ！」

「そこはほら、駆《か》け引きよね。見つかるか見つからないかの」

「そういう意味での刺激かっ！　っつうか、当然却下ですよ、そんなもの！」

俺《おれ》の反論《はんろん》に、知弦さんは「仕方ないわねぇ」と引き下がる。そうして、会長の頬《ほお》をむにむにしながらしばし考え、再び、提案してきた。

「闇《あん》パン（限定《げんてい》10個《こ》）」

「な、なんですか、それは……」

「何が入っているか分からない、面白《おもしろ》いパンよ」

「……知弦さんの提案にしては、意外と普通《ふつう》ですね。それは、結構《けっこう》ありじゃ……」

「そうよね。バリエーションとしては、中に精巧《せいこう》な偽札《にせさつ》の製造《せいぞう》法を記したメモがあるものとか、有名殺し屋の電話番号とか、麻薬《まやく》取引の会場とか……」

「闇の度合いが強すぎますよ！」

「人の指とかが無いだけ、まだマシじゃない」

「知弦さんの闇はどこまで深いんですかっ！　却下です！」

俺はぜぇぜぇと息を吐《は》く。……しまった。今日は、会長じゃなく、俺がアウェーの日か。

俺だけが、生徒会の良心たる日か。

とりあえず、期待はしてないものの、会長にも話を振ってみる。

「じゃあ、会長は何かアイデアありますか？」

訊《たず》ねると、知弦さんは「むにむにアカちゃん」を一旦終了《いったんしゅうりょう》し、会長を解放《かいほう》する。

会長は「あうー」と頬をさすっていた。

「ほっぺたが弄《もてあそ》ばれていたから、考える暇《ひま》なかったよぅ」

「じゃあ、意見無しでいいですか?」

「駄目《だめ》。ちょっと待って……」

会長は腕《うで》を組んでうんうん唸《うな》る。たっぷり間を置いて、ようやく一つ、意見を絞《しぼ》り出した。

「あまぁーいのがいいなぁ」

『………』

その発言に、生徒会全体が、ぽわぁんとした。会長は「あまぁいの」を想像《そうぞう》して、幸福そうな顔をしている。……なんだこの生物。可愛《かわい》らしすぎる。

全員、幸せな気分で、会長を見守る。彼女は更《さら》に続けた。

「こうね、ほわほわして、ふわふわして、ほっこりしているのがいいよねぇ」

『………』

ほわほわで
ふわふわで
ほっこり…

生徒会室が、むしろ、ほわほわした。やばい、やばい、やばい！　俺の萌《も》え度メーターが臨界点《りんかいてん》に来ている！　ほっぺたをむにむにされていたせいで、気張《きば》った意見を言う気力がなくなったのかもしれない。会長は、普段《ふだん》以上に本性《ほんしょう》の「子供《こども》」の部分を曝《さら》け出していた。

「わたあめパンとか……」


「かわゆすぎるぜ、チクショウ！」

「す、杉崎？」

俺の勢いあまった絶叫《ぜっきょう》に、会長はキョトンとしてしまっていた。

しばし全員で会長のぽわぽわ空気に付き合い、「アニマルパン」やら「ヒーローパン」等、和《なご》む意見を出し合う。そうして、皆《みんな》で積極的《せっきょくてき》にぬるま湯に浸《つ》かっていると……。


「伏《ふ》せろ！」

唐突《とうとつ》に、そんなことを言いながら我《わ》が部の顧問《こもん》が入室してきた！　びっくりして、硬直《こうちょく》する俺達。真儀瑠《まぎる》先生は、不敵《ふてき》に微笑《ほほえ》むばかりだ。

数秒して、俺はようやく口を開いた。

「な、なんですかっ！　どうしたんですかっ！」

俺の緊迫《きんぱく》した表情《ひょうじょう》を無視《むし》し、先生はドアを閉《し》めると、目の前の自分の席に着席し、「ふぅ」と息をつく。

そして、一言。

「いや、特に理由は無いのだが」

「ないのかよ！」

「なんか空気がほのぼのしていたのでな……。打ち砕《くだ》いてみた」

「相変わらずいい性格《せいかく》してますねぇ！」

「読者の退屈《たいくつ》を紛《まぎ》らわすためだ。どうせこの会議もそのうち小説化されるのだろうからな。ここらで、新展開《しんてんかい》を盛《も》り込《こ》んでやろうという、顧問なりの配慮《はいりょ》だ」

そう言いながら、真儀瑠先生はどこからか取り出したやきそばパンをもぐもぐと頬張《ほおば》る。

その様子を見て、真冬ちゃんが先生に話しかけた。

「そういえば、先生もよくパン食べてますよね」

「ん？　ああ、そうだな。自慢《じまん》じゃないが、私は自炊《じすい》できん！」

「本当に自慢になりませんね……」

「掃除《そうじ》もいい加減《かげん》だ！」

「なんとなく、想像通りですけど……」

「でも、美人だから許《ゆる》されるんだ」

「……真冬は、たまに、先生がとても憎《にく》くなります」

真冬ちゃんが自分のスタイルと先生の身体《からだ》つきを比《くら》べて、溜息《ためいき》を吐《つ》いていた。

その様子に、知弦さんが苦笑《くしょう》しつつ話を進める。

「ところで、購買《こうばい》の常連《じょうれん》らしい先生に質問《しつもん》なんですが……」

「ほうひた？」

やきそばパンを咀嚼《そしゃく》しながら、知弦さんに向き直る先生。知弦さんは、今日の流れを一通り説明した後、先生にもアイデアを求めた。

「ふむ。そうだな……」

説明を聞きながらパンを食べ終えた先生は、真冬ちゃんに淹《い》れてもらったお茶をひとすすりし、サラリと告げる。

「よし、購買やめて、学食作ろう」

「…………。……って、いやいやいやいや！　駄目《だめ》ですよ！」

すげぇ根本から覆《くつがえ》しやがりましたよ、この顧問。

「なぜだ、杉崎。自炊せん私の栄養バランスを考えると、定食モノがあってくれると、嬉《うれ》しい」

「あんたの利益《りえき》だけで決めるな！　っていうか、パン屋のおばちゃんを裏切《うらぎ》る気ですかっっ！」

「じゃあ、パン屋のおばちゃんに切り盛りさせよう、学食」

「パン屋のおばちゃんじゃ多彩《たさい》な定食は作れないですよ！」

「『あんぱん定食　950円』みたいな」

「結局あんぱんじゃないですかっ！　っていうか高っ！　どこに金つかってんの⁉」

「ステーキとかフカヒレスープもついてくるからな」

「それはもう『あんぱん定食』じゃねえ！　メインはあんぱんじゃねえ！」

「じゃあ『ステーキ定食　あんぱん付き』でいいぞ」

「そうなると、最早《もはや》あんぱんが邪魔者《じゃまもの》でしかねえし！」

「となると、パン屋のおばちゃんはクビだな」

「だから、それは駄目ですって！」

会長も、賄賂《わいろ》貰《もら》っちゃっているし。今日のテーマはそもそも、売れる新メニュー（パン）の開発だ。結論《けつろん》が、「おばちゃん、クビ♪」では、おばちゃんにかつてない衝撃《しょうげき》が走るだろう。

生徒会メンバーの敵意《てきい》のある視線《しせん》に、真儀瑠先生は嘆息《たんそく》し、「オーケー」と両手をひらひらと上げる。

「仕方ない。他の方向性《ほうこうせい》で考えてみよう」

「是非《ぜひ》そうして下さい」

「うむ。では……」

一拍置いて、真儀瑠先生、再提案《さいていあん》。

「テストパン。一個《こ》千円」

「？　なんですか、それ。っていうか、千円のパンなんて売れるハズ……」

「甘《あま》いな、杉崎。このパンは、場合によっては二千円でも売れるぞ。しかもかなりの数」

「どうやって……」

「ふふふ。……このパンはな。次期中間テストもしくは期末テストのテスト用紙が、表面に印刷《いんさつ》されているのだ！」

「なっ――」

「そうは言っても、たかがパンの面積！　用紙が全《すべ》てプリントされるわけもない！　いくつかのパンを合わせて、初めて全貌《ぜんぼう》が分かるのだ！　つまり！　点数が取りたい生徒垂涎《すいぜん》の――」

「やれるかぁ――――――――――――――――――――！」

全力でツッコム。会長も「だ、駄目に決まってるじゃないですかっ！」と憤慨《ふんがい》していた。

そりゃそうだ。

しかし、真儀瑠先生は不満そうだ。

「大ヒット確定《かくてい》なのだがな……」

「アンタ、ホントに教師《きょうし》ですかっ！」

「ただの教師ではない。GTMだ」

「ある意味グレートなティーチャーなのは認《みと》めますけどね！」

「違《ちが》うぞ、杉崎。ゴッドなティーチャー、真儀瑠だ」

「神のような教師って、なんですかっ！」

「マギ○テル・マギを目指し、大量の女子中学生をオトしていく教師とかだな」

「それは確《たし》かに俺にとって神の如《ごと》き存在だっ！」

まずい。なんか話がずれてる。生徒会メンバーからも、ジトッとした視線が向けられている。

「と。とにかく、テストパンは無理です。というか、ここで承認《しょうにん》されても、PTAが黙《だま》っちゃないでしょうし」

「イヤミなPTAを説き伏《ふ》せるっていう展開《てんかい》も、教師ならば体験してみたい場面だな。教師を志《こころざ》す者、誰《だれ》しも一度は金八《きんぱち》に憧《あこが》れるものだ」

「いや、この場合、PTA側が完全に正義《せいぎ》ですから」

「『貴方方《あなた》は本当に子供《こども》のことを見ているのかっ！　成績《せいせき》だけで子供を測《はか》ってないかっ！』みたいなこと言う、カッコイイ私。教師の鑑《かがみ》」

「んないいセリフの出る場面は絶対《ぜったい》ないですよっ！」

「『子供の、本当の望みを聞いてあげて下さい……。テストパンを、認めてやって下さい……』」

「それ、子供の望みじゃねえし」

「『く……これが教育の限界《げんかい》だというのなら……。私は、教師なぞやめてやる！』」

「どんだけテストパンに賭《か》けているんですかっ、GTM！」

「うむ、面白《おもしろ》い……。よし、やるか」

「だから、駄目《だめ》ですって！」

早速《さっそく》立ち上がってどこかに行こうとしていた先生を、慌《あわ》てて引き止める。

真儀瑠先生はえらく不機嫌《ふきげん》そうにしながらも、しぶしぶ着席した。

先生の暴走《ぼうそう》が一段落《いちだんらく》し、会議の進行が止まる。その様子に、深夏が深く嘆息《たんそく》した。

「で……結局、何も決まらねぇな……」

『う』

真儀瑠先生以外の全員がひきつる。やばい……生徒会の無能《むのう》っぷりが、久々《ひさびさ》に露呈《ろてい》してしまった。

会長が、視線《しせん》を挙動不審《ふしん》に彷徨《さまよ》わせながら、取り繕《つくろ》う。

「そ、そもそも、パンに関して素人《しろうと》の私達が名案を出そうっていうのが、ハードル高いのよ」

「そ、そうですよね。俺達は、よくやりましたよ」

皆《みんな》で歪《いびつ》に笑い合う。しかし、真儀瑠先生は、ぴしゃりと言い放った。

「逃避《とうひ》は許《ゆる》されんぞ、諸君《しょくん》」

ひきつる。……しかし、どうしろと言うのだろう。このご時世、そうそう「新しいパン」なんて出来るものじゃない。とりあえず、「やき○てジャパン」でも全巻読破《ぜんかんどくは》することから始めようか。パンの作り方より、リアクションのバリエーションが増《ふ》えそうだが。

俺達の停滞《ていたい》した空気をなんとかしようと、真冬ちゃんはカチカチとノートパソコンをいじりだした。

「ネットで意見を探《さが》しましょう！　巨大掲示板《きょだいけいじばん》サイトにスレを立てておきました！」

「で、どう？」

「……ちょっと待って下さいね。…………。……すいません。ただただ、荒《あ》れてました。重複《じゅうふく》スレとか言われました。しゅん」

「重複してんだ！　購買《こうばい》新作パンアイデアのスレ、先にあったんだ！」

「真冬は、ネットでもいらない子です……」

真冬ちゃんがいじけていた。不憫《ふびん》な子だ……。

真冬ちゃんに代わり、深夏がノートパソコンを引き取る。そうして、何かカチカチとやり始めた。

「深夏、なにしてんの？」

『う』

会長が尋《たず》ねる。深夏は画面を見たまま返した。

「んー、パンで検索《けんさく》かけて、今売れているもんとか、珍《めずら》しいもんを探してみてる」

「なにかあった？」

「………………んー、結局やっぱ定番が美味《うま》そうだな、正直」

「そっかぁ。でも、それが当然かもね。万人《ばんにん》にウケるからこそ、定番なんだし」

「だな」

そう言って、深夏はパソコンの電源《でんげん》を切る。やはり、ネットで「新規《しんき》アイデア」を探すのは無理があったようだ。

「行き詰《づま》ったわね……」

知弦さんが呟《つぶや》き、会議が完全にストップする。真儀瑠先生は、暇《ひま》そうに「ふぁぁ」とあくびをしていた。……この人、暇潰《つぶ》しに来ているだけなんじゃねえか、ここ。

しかし……困《こま》った。今日分かったことといえば、
・個性《こせい》的すぎたら売れない
・定番が一番美味い

っていうことだけだ。

つまり、ここから考えれば、定番だけど、まだうちの学校では手を出してなくて、しかも美味くて一般《いっぱん》的に浸透《しんとう》しそうなものを……。

…………。

「あ」

俺は思わず声をあげた。

全員が、こちらを見る。

俺は、なんの気なしに、思いついたことをそのまま言ってみた。

「普通《ふつう》にハンバーガーでいいんじゃね？」

『…………』

…………。

＊

後日。

バカ売れしたさ、ハンバーガー。

【第五話～知られざる生徒会～】

「何事も、見かけで判断《はんだん》してはいけないのよ！」

会長がいつものように小さな胸《むね》を張《は》ってなにかの本の受け売りを偉《えら》そうに語っていた。

いきなり胸にグサリ。見れば、会長はやはり主に俺《おれ》の方に向かって告げていた。

「ねえ、杉崎《すぎさき》。そうよね。私、間違《まちが》ったこと言ってないわよね？」

「そ、そうですね。…………。……で、でも、会長――」

「問答無用よ。この名言は定番だけど、だからこそ、重みのある真実なのだからっ！」

「ぐ……」

会長がニヤニヤしている。久々《ひさびさ》に俺を打ち負かせたことが嬉《うれ》しいらしい。

視線《しせん》を逸《そ》らす。知弦《ちづる》さんと真冬《まふゆ》ちゃんが苦笑《くしょう》気味に俺達を見ていた。ちなみに、今日はまだ深夏《みなつ》が来ていない。なんか軽くバスケ部の助《すけ》っ人《と》に出てくるらしい。すぐに帰ってはくるらしいが……。まあ、今は深夏がいなくて助かったかもしれない。アイツだったら、この場面で確実《かくじつ》に会長に加勢《かせい》しただろう。

こういう話題に関しては、増援《ぞうえん》が期待できないため、改めて自分で反撃《はんげき》に出る。

「そ、そうは言いますけどね、会長。美少女を愛《め》でることの、どこに悪いことがあるんですか。綺麗《きれい》なものに惹《ひ》かれて、何が悪いものか」

「う、開き直ったわね……。でも、ちゃんと心も見ないと駄目《だめ》よ、やっぱり！　それが人間の本質《ほんしつ》だもん！」

「中身は重要でしょう。しかし、だからと言って外見が軽《かろ》んじられる覚えは無いっ！」

「く……こういう話に関しては、妙《みょう》に熱いわね、杉崎は……」

「綺麗な女性《じょせい》が好きで何が悪いっ！　どこが間違っているっ！」

「別に、間違っているとまでは……」

「それに会長！　そもそもこの生徒会、外見重視《じゅうし》で集まってんじゃないですかっ！」

「うぐ。そ、それを言われると何も返せないわっ」

そこで、知弦さんが「はい、アカちゃんの一敗〜」と呟《つぶや》き、そこで議論《ぎろん》は終了《しゅうりょう》した。

真冬ちゃんが笑って見守る中、会長がぷくっと頬《ほお》を膨《ふく》らませる。

うむうむ。今日も生徒会は、楽しいなぁ。

………………。

「あらキー君。深夏が居《い》ないのが、寂《さび》しいのかしら？」

俺のちょっとした視線《しせん》の動きを目ざとく観察していたらしい知弦さんが、いやらしい笑《え》みを浮《う》かべてそんなことを言ってくる。

俺は少しどぎまぎとしながらも、返した。

「べ、別にそういうわけじゃないですけどね。俺の周りにはほら、既《すで》に三人も美少女をはべらしているわけですし、いつもクラスで一緒《いっしょ》の深夏がちょっと席をはずしているからって、すぐにそんな寂しくなってしまう情《なさ》けない男では――」

「寂しいのね」

「はい」

さすがに二回問われると、素直《すなお》に吐露《とろ》してしまった。が、ヒロインと捉《とら》えているとはいえ、普段《ふだん》から深夏とは悪友関係にあるため、こう素直に気持ちを言うのは照れる。

真冬ちゃんも、「お姉ちゃんはムードメーカーですもんね」と深夏の席を眺《なが》める。

そうなのだ。この生徒会を基本《きほん》的に動かすのは会長だし、真冬ちゃんや知弦さんも個性《こせい》的な分、深夏が「中心」になることは少ない。しかし、いつだって彼女は場をうまく動かす。潤滑油《じゅんかつゆ》……とでも言うのだろうか。生徒会でも、クラスでもそうだ。

だから、やっぱり……。

「ふふふ、キー君って自分で思っているより感情《かんじょう》が顔に出やすいわよね」

知弦さんに指摘《してき》される。

「う……。ど、どんな顔してます、俺」

「そうね……。恋愛《れんあい》感情云々《うんぬん》というよりは、『いつもの相棒《あいぼう》がいなくて不安だよぅ』っていう感じかしらね」

「くぅ、間違っていると言えないのが悔《くや》しい！」

俺の反応《はんのう》に、皆《みんな》が笑う。確《たし》かに、それは言いえて妙《みょう》かもしれない。クラスでも生徒会でも、俺が好きに暴走《ぼうそう》出来るのは深夏がいるからだ。それは深夏にしても同じ。お互《たが》いがストッパーであり、盛《も》り上げ役なのだ。だからこそ、片方《かたほう》欠けると、いつもの調子が出ない。さっきみたいに、会長に一瞬《いっしゅん》会話の主導権《しゅどうけん》を握《にぎ》られてしまうぐらいには。

とはいえ、深夏に頼《たよ》りっきりの情けない俺のままではいられない。

俺は、特に会長からの議題も無いようなので、会話のネタを提供《ていきょう》することにした。

「深夏の『部活助っ人』じゃないですけど、案外、俺達って、この生徒会活動以外でのお互いのプライベートっていうか、生活スケジュール分かってないですよね」

「あらキー君。それは、私達攻略《こうりゃく》のための情報《じょうほう》を引き出そうとしているのかしら？」

「バレました？　まあ、それもありますけど、単純《たんじゅん》に興味《きょうみ》もあります」

「そうね……」

知弦さんはそこで、会長と真冬ちゃんを見る。二人とも、特にこの話題に反発もなさそうなのを確認《かくにん》したのか、知弦さんは率先《そっせん》して、この話に食いついてくれた。

「私の一日は、少年執事《しつじ》が起こしに来るところから始まるわ」

「いえ、そういう嘘《うそ》はいいですから」

俺の冷たい反応に、知弦さんは肩《かた》を竦《すく》める。そして、再《さい》スタート。

「低血圧《ていけつあつ》だから、朝は遅《おそ》いわね。朝食は栄養バランス食品とコーヒーで済《す》ますわ」

「なんか、知弦さんっぽいですね」

「そうね。キー君と会うのはほぼ放課後だから知らないでしょうけど、朝の私は、ちょっとキャラ違《ちが》うわよ。頭働いてないから」

「そうなんですか？」

俺が訊《たず》ねると、知弦さんではなく会長が「そうなのよ」と嘆息混《たんそくま》じりに言う。

真冬ちゃんと共に興味津々《きょうみしんしん》の視線を会長に向けると、彼女はげんなりしながら説明を始めた。

「まず、喋《しゃべ》らないの。普段から無口な方だけど、輪をかけて喋らないのよ、朝の知弦は」

「喋らないって……眠《ねむ》くて不機嫌《ふきげん》ってことですか？」

「それもあるんだけど、私と接《せっ》する時は寝《ね》ぼけているっていうか、欲望《よくぼう》に忠実《ちゅうじつ》になっているっていうか、口よりアクションに出るっていうか……」

「？」

真冬ちゃんと二人、首を傾《かし》げる。すると会長は、もう一度大きく溜息《ためいき》を吐《つ》いた。

「教室もしくは通学路で会うと、その途端《とたん》、私を抱《だ》きしめるのよ」

「なっ――」

なんて羨《うらや》ましいことを！

知弦さんが感情の読めない笑《え》みで見守る中、会長が続ける。

「挨拶《あいさつ》も何もなく、ぽーっとした目で私を捕捉《ほそく》したと思ったら、ふらふらーっと近寄《ちかよ》ってきて、もふっと私を抱きしめることから一日が始まるの」

「なんですか、その軽い危険《きけん》人物」

「そして、無言で私をもふもふとぬいぐるみのように愛《め》でて、『ふぅ』と一人落ち着いたような息を漏《も》らし、そのまま、朝のＨＲが始まるまでクラスメイトどころか私も無視《むし》して、私を撫《な》でたり抱きしめたりして幸せそうにしているわ」

「めっちゃ寝ぼけているじゃないですかっ！」

「そんなだから、担任《たんにん》の先生が入ってきて『自分の席戻《もど》れー』って言うと、今度は一転、鬼《おに》のような形相で担任を睨《にら》み付けるのよ。『私の癒《いや》されタイムを邪魔《じゃま》したな……』みたいな視線で」

「なんて自分勝手！」

「毎朝そうだから、担任も今じゃすっかり知弦に怯《おび》えているわよ。最早《もはや》、知弦の傀儡《かいらい》ね」

「クラスまで掌握《しょうあく》していたかっ！」

真冬ちゃんも、ぶるぶると震《ふる》えていた。……ああ、この子も、もし学年が違って知弦さんと同じクラスだったら、会長と同じ目にあっていた可能性《かのうせい》があるな……。

会長から説明を受け取り、知弦さんが解説《かいせつ》する。

「アカちゃんはぽかぽかして気持ちいいのよ……」

「なんか、それは凄《すご》く分かります。俺もやりたいっ！」

俺の発言に、会長が真っ赤になって「だ、駄目《だめ》に決まってるでしょ！」と騒《さわ》いでいた。

知弦さんは、話を続ける。

「一時間目の終わる頃《ころ》に、ようやく本調子になるわね。それ以降《いこう》は、キー君の知っている私よ」

「随分《ずいぶん》起動が遅いですね」

「アカちゃんと違って、色んなソフトがインストールされているからかもね」

「まるで私の頭がすっからかんみたいな言い方やめてよっ！」

会長がまた騒《さわ》いでいたが、無視。

俺は知弦さんに質問《しつもん》する。

「お昼は、購買《こうばい》でしたっけ？」

「そうね。朝もそうだけど、私、昼もあんまりガッツリ食欲湧《しょくよくわ》かないのよ。だから、購買でパン買って、それからお弁当《べんとう》持ちのアカちゃんのところに戻って……」

「一緒《いっしょ》に食べるんですか？」

「いえ、一方的に『あ〜んして』ってアカちゃんにやって、楽しむ」

「なんですかその羨《うらや》ましい百合《ゆり》カップル！」

俺が叫《さけ》ぶと、会長ががっくりとうな垂《だ》れていた。どうやら、マジらしい。一人でぶつぶつ、「午前中に箸《はし》自体を取り上げられるんだもん」とか「クラスメイトもニヤニヤして助けてくれないし……」などと落ち込んでいる。

知弦さんがニヤリと微笑《ほほえ》む。

「パン食べるのは、その後ね」

「楽しそうですね……昼休み」

「それはもう」

目をキラキラさせる知弦さん。ああ……なんかこの人、俺が会長にしたいこと・してもらいたいことの九割《わり》ぐらい既《すで》に済《す》ませてないか？　く……もしかして知弦さんってば、俺の恋《こい》のライバル⁉

俺が一人で勝手に焦《あせ》っていると、知弦さんが「ところで」と真冬ちゃんに話を振《ふ》った。

「真冬ちゃんは、午前中どうしてるのかしら？」

「はい？　真冬ですか？」

「ええ。ほら、真冬ちゃん以外はそれぞれクラスに生徒会役員いるから、各々から情報《じょうほう》入ってくるけど、真冬ちゃんの普段《ふだん》って、結構謎《けっこうなぞ》だから」

言われてみて、「そういえばそうですね」と俺も同意する。

真冬ちゃんは一度「そんな大した日常《にちじょう》じゃないんですが……」と謙遜《けんそん》した後、顎《あご》に指を当てて「ん〜」と考え込む。

「まず朝は、お姉ちゃんに起こされます」

「深夏に？　ちょっと意外だな」

どちらかと言えば、ズボラな姉としっかりした妹という構図《こうず》だと思ったのだが。

真冬ちゃんは照れ臭《くさ》そうに言う。


「テスト期間でもいつも朝方までネトゲしてる真冬ですからね……」


「相変わらず駄目《だめ》人間っ！」

「うぅ……。すいません。で、でも、自覚はしてます！　廃人《はいじん》だという！」

「なんで自信満々に言ってんの⁉」

「廃人まで来ると、もう、一種の勲章《くんしょう》ですよね、ゲームって」

「勲章じゃねえよ！　その価値観《かちかん》は捨《す》てた方が身のためだよ！」

「ゲーム控《ひか》えたら負けだと思ってます」

「それ以前にもう色々なものに負けているよ！」

「と、とにかく、朝は弱いです。あ、でも安心して下さい。夕方とか、変な時間にしょっちゅう寝《ね》てますから！」

「何を安心しろと⁉」

でも、パジャマ姿《すがた》で眠《ねむ》そうにしている真冬ちゃんを想像《そうぞう》すると、非常《ひじょう》に萌《も》えた。……傍《かたわ》らに想像される、散乱《さんらん》したゲームや漫画《まんが》は置いておいて。

会長が、俺を窘《たしな》めるように「こほん」と咳払《せきばら》いする。それを合図として、真冬ちゃんの話も進んだ。

「学校に来てからは、流石《さすが》に携帯《けいたい》ゲーム機で遊ぶわけにもいかず、読書しています」

「勿論《もちろん》ボーイズラブなんだろうな」

「いえ、ゲームの攻略本《こうりゃくぼん》も読みますよ！」

「廃人街道《かいどう》まっしぐらですねっ！」

げんなりしつつ、俺は「それじゃあ」と質問する。

「友達とかいないの？　真冬ちゃん大人しいし、自分の世界に入りがちだし、クラスで孤《こ》立《りつ》してそうで心配なんだけど」

「ええと……確《たし》かに休み時間は趣味《しゅみ》の世界入ってますけど、友達は沢山《たくさん》いますよ」

「ちょっと意外だな」

「失礼ですね、先輩《せんぱい》。友達はたくさんいますよ！　一緒にラオシャ○ロンを倒《たお》しに行ったsansan さんとかっ！　某《ぼう》次世代機のフレンド登録人数も多いですし、評判《ひょうばん》も悪くないですっ！」

「それはオンラインゲームの話だよねぇ！」

「ゲームの繋《つな》がりを馬鹿《ばか》にしちゃいけないですよ、先輩！」

「馬鹿にしてないけど、今は学校の友達の話をしてよ！」

「じゃあいないです」

「いないんだっ！　めっちゃ孤立してんじゃん！」

「孤立なんかしてないですよ。失礼ですね。ただ、『好きな者同士で班《はん》組め』と言われた時は、なぜか確実《かくじつ》にあぶれる真冬ですが」

「それを孤立と言わずしてなんと言うのっ！」

「真冬は人気ですよ？　クラスの委員長に立候補《りっこうほ》がいなかった時とか、最終的には『じゃあ真冬ちゃんでいいんじゃね？』という意見が出て、そのまま決まってしまうぐらいには、人望と人気があります」

「それは、確実に厄介《やっかい》ごとを押《お》し付けられているだけだと思うけど」

「今一番共感する漫画《まんが》は『ライフ』です」

「確実にいじめられているよねぇ！」

「そんなことないですっ！　あれは好意なんですっ！　この前なんか、お嬢様《じょうさま》のクラスメイトが『真冬ちゃんに似合《にあ》うわ』と言って、防災頭巾《ぼうさいずきん》ともんぺをくれましたっ！」

「それは絶対《ぜったい》好意じゃないよ！　馬鹿にされてるよっ！」

「真冬の私服《しふく》が増《ふ》えました！　嬉《うれ》しかったです」

「それ着て出歩いてんの!?」

「あ、いえ、今は着ていません。ある日防災頭巾をかぶってアーケード街を闊歩《かっぽ》していたら、そのお嬢様クラスメイトとバッタリ会いまして。その途端《とたん》、彼女はなぜか『ま、負けたわ……』とガックリうな垂《だ》れて、なぜか真冬に新しい服を買ってくれました。……優《やさ》しい人です」

「ああ、なんか変な解決《かいけつ》してんだっ！」

「今ではその子、毎日真冬にお菓子《かし》を恵《めぐ》んでくれます。クラスの皆《みんな》の真冬に対する態度《たいど》も、なんとなく、そんな感じです。大人気です」

「なんか変な立ち位置確立しているよねぇ、真冬ちゃんっ！」

相変わらずおかしな子だった。ある意味、知弦さん以上にプライベートが謎《なぞ》に包まれている子かもしれない。

会長と知弦さんもドン引きしている。このまま真冬ちゃんペースにハマり続けるとマズそうなので、俺は会長に話を振《ふ》った。

「会長の普段《ふだん》はどんな感じですか？」

「私？　そうね……朝はさっき言ったように、知弦に拘束《こうそく》されてるわ」

「寝起《ねお》きはいい方なんですか？」

「うん。朝は結構《けっこう》のんびりだよ。五時起きだからね」

「早っ！　そんなんで睡眠《すいみん》時間足りているんですか⁉」

「え、足りているよ？　九時に寝てるから、ちゃんと八時間寝てるもん」

「ああっ、やっぱりそこらも子供《こども》なんだっ！」

なんか、イメージ通りの生活だった。会長はぷくっと頰《ほお》を膨《ふく》らませる。

「子供じゃないもん！　キムチ食べれるもん！」

「その基準《きじゅん》が、なんか既《すで》に子供です」

「夜更《よふ》かししたことだってあるよ！　お正月とかっ！」

「だから、なんかその価値観《かちかん》が、もう子供なんですって」

「毎週欠かさず見てたアン○ンマンだって、先月卒業したしっ！」

「思っていた以上の逸材《いつざい》だっ！」

「それに、男と女の機微《きび》だって分かる年頃《としごろ》だもんっ！」

「ほう。例えば？」

「ええと……。私しか気付いてないと思うけど、上《うえ》○和也《かずや》は、浅《あさ》○南《みなみ》のことが好きだったんじゃないかな」

「誰《だれ》でも気付くわっ！」

「他《ほか》にも、宮間《みやま》夕菜《ゆうな》が式森《しきもり》和樹《かずき》に好意を寄《よ》せているということを見破《みやぶ》れたのは、私ぐらいのものねっ！」

「だから、誰でも気付きますって！」

「そして、そんな私から言わせれば、ジャ○おじさんは、カ○ーパンマンに密《ひそ》かに好意を寄せていると見るわ！」

「ああっ、かつてここまで恋愛の機微に疎《うと》い人間がいただろうかっ！」

俺も昔飛鳥《あすか》から「鈍感《どんかん》」と称《しょう》されたことがあったが、この人のそれは、鈍感とかそういうレベルを超越《ちょうえつ》しているんじゃなかろうか。

会長はそれでも「えへん」と胸《むね》を張《は》り、自分がいかに「大人のライフスタイル」を貫《つらぬ》いているか、滔々《とうとう》と語る。

「授業《じゅぎょう》だって、真面目《まじめ》に受けてるしっ！　ジャポ○カ学習帳《がくしゅうちょう》で！」

「まだ使ってたんだ！」

「お弁当《べんとう》だって、大人らしく、タコさんウィンナーは一つに控《ひか》えているしっ！」

「だから、その基準がおかしいですって！」

「バスケットボールだって、私が手を触《ふ》れるまでもなく試合終わるしっ！」

「それはただ単に戦力外なだけでしょう！」

「班《はん》決めだって、真冬ちゃんと違《ちが》って、いつも私は引っ張りだこよ！　大人だから！」

「ただ皆《みんな》マスコットが欲しいだけだと思います！」

「失礼なっ！　修学旅行《しゅうがくりょこう》の時だって、班でも『スマイル係』っていう、重要な役割《やくわり》を任《まか》されたんだからねっ！　大人だからっ！」

「ほらマスコット欲しかっただけじゃないですかっ、班員！」

「『日本の政治《せいじ》は腐敗《ふはい》しているよねー。なんだか分からないけど、とにかく、腐敗しているよねー』って、政治にもズバリ切り込《こ》むし！」

「浅いですよ、言っていることがっ！」

「趣味《しゅみ》は囲碁《いご》だしっ！」

「どうせ最近『ヒ○ルの碁』でも全巻《ぜんかん》読んだんでしょ！」

「もう銀行強盗《ごうとう》してもいい年齢《ねんれい》だし」

「そんな年齢は無いっ！　なに信じ込まされてんですかっ！」

「バイトだってしたことあるんだからっ！　父親の肩叩《かたたた》きっていう重労働で、社会の荒波《あらなみ》にもまれたりっ！」

「めっちゃ身内のぬるま湯じゃないですかっ！　どこにも波たってないですよ！」

「十分間も連続労働だったのよ！　そして報酬《ほうしゅう》はたったの千円！　労働って、過酷《かこく》だわ」

「どこまで甘《あま》やかされて育ってんですかっ！」

「ふ……働いたことのない杉崎には、そんなこと語る資格《しかく》ないわよ」

「あんたにもねえ――――――――――！」

「もう、大人度においては、知弦や真儀瑠《まぎる》先生を超《こ》えたと言っても過言《かごん》ではないわね」

「戦後最大の過言ですよっ」

「この全校生徒約七百人の学校で……私と同等かそれ以上に精神《せいしん》が成熟《せいじゅく》した者が、一体どれだけいることか……」

「約七百人でしょうね」

「ふ……大人すぎるのも、罪《つみ》ね」

「子供《こども》すぎるのは、場合によってはもっと重い罪だと思います」

この人は、なんでこう育ったんだろう。本気で、親の顔が見てみたい。……なんとなく、会長と同等以上にぽわぽわした大人の出現《しゅつげん》が危惧《きぐ》されるが。

会長の話も一段落《いちだんらく》したため、俺《おれ》は、次に話を振《ふ》った。

「じゃあ、深夏は――」

と言いかけて、すぐさま深夏が居《い》ないことに気付き、「しまった」と顔をしかめる。

俺の様子を三人ともちゃんと見ていたらしく、全員でニタァとしていた。

「あらあら、キー君。深夏がそんなに恋《こい》しいなんてね」

「い、いえ。す、好きは好きですが、その……」

「先輩《せんぱい》、真冬以上にお姉ちゃんに依存《いぞん》してますよね」

「お、女が俺に依存することはあっても、俺が女に依存することなど……」

「確《たし》かに杉崎って、学校ではほぼ深夏と一緒《いっしょ》にいるもんね。……ひゅーひゅー」

「ああっ！　子供みたいな単純《たんじゅん》な囃《はや》し立てが、逆《ぎゃく》にキッイ！」

俺は恥《は》ずかしさで、顔を隠《かく》すように机《つくえ》に突《つ》っ伏《ぷ》す。メンバー達は全員クスクスと笑っていた。……なんだこの恥辱《ちじょく》は。普段《ふだん》から深夏のことも好きだと言っているのだから素直《すなお》に認《みと》めればいいのだが、なんか、こういう無意識《むいしき》のところを突かれると、異常《いじょう》に恥ずかしい。

そのまま、しばらく皆にからかわれ続ける。そうこうしている最中、知弦さんが「さて」と席を立った。

「ちょっとジュースでも買ってくるわ」

「あ、私も行くー」

会長もそれに便乗して立ち上がる。そうして、二人でぞろぞろと退室《たいしつ》しようとして、ふと、会長が何かに気付いたように室内を見た。

俺と真冬ちゃん、二人。二人きり。

「…………。……うん、真冬ちゃんも一緒に行こう」

「なんですかそれっ！　なぜ俺を犯罪者《はんざいしゃ》でも見るような目で！」

「はいっ、ま、真冬もお供《とも》させてもらいますっ！」

「真冬ちゃんまで、俺に怯《おび》えるような表情《ひょうじょう》すんなよ！　二人きりだからって、何もしねぇよ！」

「留守番《るすばん》よろしく、キー君」

「ちょ、じゃあ俺も一緒に――」

「ちゃんとキー君の愛《いと》しい深夏を待っていてあげなさい」

「な――」

俺の反論虚《はんろんむな》しく、三人はくすくす笑いながら去って行ってしまった。

「…………」

一人だ。生徒会室に、一人。普段がわいわいと過《す》ごしている場所だけに、シーンとすると、とても寂《さび》しい。

「うぅ……俺のハーレム……」

寂しい。なんとけしからんメンバー達だろう。ハーレムの主を置き去りにするとは。ヒロインとしては、ここで一人残っておけば、俺と二人きりで、好感度倍増《ばいぞう》のチャンスだったというのにっ！

「まったく、皆《みんな》にはヒロインの自覚というものが足らんな」

…………。

……誰《だれ》もツッコンでくれません。なんか本格的《ほんかく》に虚しいです。

「い、いけない！　ここは、一人でもテンションを持続しなければっ！」

というわけで、一人でコントでも始めてみることにする。

杉崎鍵《けん》の、ショートコント。『こんなコンビニはいやだ』。

店員「へいらっしゃい！　活《い》きのいいの入ってやすぜ！」

客「ポカリ買いに来ただけなんですけど……」

店員「丁度いいや！　今日新鮮《しんせん》なの入ったばかりなんだ！　採《と》れたてだぜ！」

客「採れたて!?　ポカリって山にでも生えてんの!?」

店員「春の山菜と言えば、こごみ、フキノトウ、たらの芽、わさび、ポカリだろ」

客「地面にペットボトル突《つ》き刺《さ》さってるシュールな光景がっ！」

店員「素人《しろうと》にはなかなか見つけられないがな」

客「見つけられる玄人《くろうと》は、なにかヤバイもの常習《じょうしゅう》しているとしか思えない！」
店員「で、どれにする？　俺のオススメは、この山形産『赤ポカリ』だな」
客「赤いっ！　怖《こわ》いっ！」
店員「昔から赤いのは三倍速いって言うだろ。騙《だま》されたと思って買ってみなって」
客「普通《ふつう》のポカリ下さい」
店員「しょうがないな……。待ってろ、今、搾《しぼ》ってくる」
客「搾るって何！」

と、一人で客と店員をやっていると、ふと背後《はいご》に人の気配を感じた。

「お前……大丈夫《だいじょうぶ》か？」

「おわっ⁉」

驚《おどろ》いて、慌《あわ》てて振《ふ》り返る。そこには——


見知らぬ美少女生徒が居《い》た。

鮮《あざ》やかなロングヘアーの、美少女。しかしながら、知弦さんや真儀瑠先生とは違《ちが》って、

どこかアクティブさが感じられる……親近感の湧《わ》く可愛《かわい》さとでも言うのか。服装《ふくそう》も、胸元《むなもと》ははだけ、スカートも通常《つうじょう》より短くはいている。

何より驚《おどろ》いたのは……俺が……この美少女フリークたるこの俺が、こんな女生徒の存在《そんざい》を今の今まで知らなかったってことだ。

俺が口をぱくぱくさせている間に、その美少女は、なぜか俺の隣《となり》に着席して、一息つく。

「ところで、皆は？」

美少女は俺に、なぜかフランクにそんなことを尋《たず》ねてくる。俺は、慌てて返した。

「え、えと、ジュースを買いに……」

「そうか。ならいいや」

何がいいのだろうか。っていうか、生徒会に用事だろうか。頭の中で疑問《ぎもん》が渦巻《うずま》く中、少女は再《ふたた》び俺の方を向く。そして、砕《くだ》けた表情《ひょうじょう》。

「いやぁ、まいったぜ、今日は。相手のチームはそうでもなかったんだが、うちのチームの動きがすこぶる悪くてさ。おかげで、いつも以上にあたしが走りまわるハメになってさぁ」

「は、はぁ」

なぜこんなに親しげなのだろう、この美少女は。さすがの俺でも少し戸《と》惑《まど》う。

「まあ、結局は勝てたからいいんだけどな。体動かすのはいいんだが、ああいう風に精神《せいしん》的に追い詰《つ》められるのは、正直楽しんでいる暇《ひま》とかねえわ」

「そう……ですか」

「？　どうした、鍵。大人しいな」

「へ？」

なんか呼《よ》び捨《す》てされたし。……ええと？　俺ってば、まさか、無意識《むいしき》にどこかでフラグ立ててた？　美少女見れば無条件《むじょうけん》で話しかけてるからな……その可能性《かのうせい》は否定《ひてい》できんが……。いや、しかし、名前で呼ぶほど親しくなった美少女を忘《わす》れるなどということは……。

そんなことを考えていると、少女は俺をがばっと覗《のぞ》き込む。顔の距離《きょり》、数センチ。

「どうした？」

「――――」

心臓《しんぞう》がバクバク鳴る。な、なんで、初対面の俺にそんな無防備《むぼうび》な――。こんな、見知らぬ……。見知らぬ……。…………。…………ん？　あれ？　この「顔」……どっかで見たことあるような……。ロングヘアーなことを除《のぞ》けば、誰かに似《に》ているような……。……真冬ちゃん？　いや、そうじゃなくて……。

………。

…………あ。

「み、深夏？」

「？　なんだ？」

目の前の美少女は、キョトンと俺を見る。俺は、未《いま》だ信じられないながらも、もう一度、彼女の名を呼んだ。

「椎名《しいな》……深夏？」

「なんでフルネーム」

「深夏、だよな」

「はぁ？　お前、ボケてんのか？　あたしが、あたし以外の何に見えるって言うんだよ」

そう言って、美少女は……いや、深夏は、呆《あき》れるように俺から離《はな》れる。

「…………」

まじまじと、彼女をもう一度見る。

長い髪《かみ》の、黙《だま》っていれば最上級ランクの美少女がいる。

……ごしごし。

「どうした。目、痒《かゆ》いのか？」

「いや、なんか、深夏が少女に見えるんだが……」

「……なんかあたし、今、喧嘩《けんか》売られたか？」

深夏がポキポキと拳《こぶし》を鳴らす。

「間違《まちが》いない。深夏だ……」

「おい、こら。なぜこの動作でそう判断《はんだん》する」

「いやしかし……見違えた。そうか……女って、恋《こい》をすると変わるんだな」

「なにがなんだか分からんが。とりあえず、なんかお前の結論《けつろん》は間違っている気がする」

「遂《つい》に、ヒロインとして本格《ほんかく》参戦か、深夏！」

「意味が分からんから、とりあえず、一発殴《なぐ》ってみるわ」

というわけで、普通《ふつう》に殴られた。痛《いた》かった。

「目、覚めたか？」

「ああ……。お前の愛情がこもったパンチ、しかと受け取った！」

「こめてねえもん受け取られた！」

うん、深夏だ。改めて見れば、確《たし》かに、一挙一動がいちいち深夏だ。ただ……外見を除《のぞ》いては。

俺《おれ》は椅子《いす》に座《すわ》り直し、改めて、深夏と向き合う。

「しかし……いや、ホントに、深夏だって分からなかった」

「ああ？　だから、さっきから何言って……って、ああ」

深夏が、何かに気付いたように、自分の頭をボサボサと搔《か》く。

「そっか。鍵の前で髪解《ほど》いてんのって、初めてか」

「ああ。……しかしお前、異常《いじょう》に印象変わるんだな」

「そうか？　自分じゃ分からねーけど……。まあ、普段《ふだん》はまとめてるしな。学校で解くことなんて、まずねーかも」

「今日はどうしてまた」

「大した理由はねーよ。ただ、今日は思ったより汗《あせ》かいたから、一回、髪解いて『わしゃわしゃー！』ってやりたかっただけだ」

「わしゃわしゃ……」

すんごい男っぽい理由で、美少女変化されていた。

俺は、つい、じろじろと彼女を見てしまう。すると、深夏もドギマギし始めた。

「な、なんだよ」

「い、いや、別に」

「…………」

「…………」

……って、何をやっているんだ、俺は。俺のキャラクターなら、ここは、普通に「めっちゃ可愛《かわい》い！」とか言えば良かっただろう。そうすれば、今の流れただろう！　なに不自然にどもってんだよ、俺！　なんかすげー変な空気になっちまったじゃねえかっ！

ちらりと深夏を見る。と——

『っ』

完璧《かんぺき》に視線《しせん》がバッティングしてしまい、お互《たが》い咄嗟《とっさ》に逸《そ》らしてしまったもんだから、余《よ》計《けい》に気まずくなった。

……時計の音が、やけに大きい。

いかん。これは、なんか、いかん。いい雰囲気《ふんいき》とも言えるけど、こう、とにかく落ち着かない！　修正《しゅうせい》しないとっ！

「み、深夏」「け、鍵」

声がかぶる。そして、また、気まずい雰囲気。……ああ、あれだ。テレビドラマで見るお見合いだ。あの雰囲気にそっくりだ、今。

俺は慌《あわ》ててテキトーに話を繰《く》り出す。

「そ、そうだな。……え、えと、ところで、今日は何の話してたんだ？」

「ああ。皆は普段、生徒会以外ではどういう風に一日過《す》ごしているかっていう話だ」

「み、皆遅《みんなおそ》いな」

ほっ。空気が持ち直した。

深夏も、話に食いつく。

「お、それは面白《おもしろ》そうじゃねーか」

「面白かったぞ。会長や知弦さんの知られざる一面を知れたし。真冬ちゃんは……なんか、余計《よけい》に謎《なぞ》が深まったけど」

「ああ、真冬はなぁ。姉のあたしにも理解《りかい》できんとこ多いから」

ようやく、普段どおりの俺達になる。深夏もいきいきとした表情《ひょうじょう》で、更《さら》に話を求めてきた。

「鍵はどうしてんだ……って、まあ、学校じゃ一日一緒《いっしょ》か」

「だな。俺も、深夏の一日に関してはよく考えたら、知らないこと殆《ほとん》ど無いし」

とはいえ、髪《かみ》を解いたらこんなに印象が変わるということを全然知らなかったりしたわけだが。

「そりゃそうだ。じゃあ、鍵やあたしの話はしなかったのか？」

「まあ、完全に聞き役だったな。ああ、でも、俺はめっちゃからかわれたけど」

「なんでまた」

「いや、俺がすんごく深夏がいなくて寂《さび》しそうだったり、恋《こい》しいみたいな話になって」

「…………」

「……あ」

なんか俺、今、すんごいこと言いませんでした？

深夏が、ガラにもなく、顔をカァーッと赤くし始める。俺は慌《あわ》てて取り繕《つくろ》った。

「い、いや、待て、深夏！　違《ちが》うんだ！　いや、違わないんだけど！　深夏は好きなんだけどっ！　そ、そうじゃなくて、寂しかったり恋しかったりしたのは無意識《むいしき》で、ただの本音であって、だからこそ恥《は》ずかしく……」

「…………」

あ、なんか更に墓穴《ぼけつ》掘ったぞ俺。深夏が、どんどん赤くなっていく。よく考えればいい感じの状況《じょうきょう》なのだが、今のこれはなんか違う！　無意識にこういう風になるのは、俺の求めるところじゃねぇ！

「や、だから——」

「ただいまー！　杉崎、ちゃんと留守番《るすばん》して……って」

最悪のタイミングで。

ご一行が、帰られました。

ジュースを持った会長、知弦さん、真冬ちゃんが、俺達をジッと見る。

妹である真冬ちゃんと、鋭《するど》い知弦さんはすぐに深夏に気づいていたようだが。

会長視点《してん》では。

〈杉崎が、謎の美少女と、お互《たが》い真っ赤になりながら、なんか話してる〉

「…………えーと」

会長はしばし判断《はんだん》に迷《まよ》った末……ぽんと手を叩《たた》いた。

「私は恋愛《れんあい》の機微《きび》が分かる大人っ！　というわけで……お邪魔《じゃま》しました～」

ガラガラ、ピシャ。

閉《し》められる戸。

…………。

深夏と顔を見合わせる。

そして……二人、息を吸《す》い……吸い……吸いきって……『絶叫』。

『行かないでぇ――――――――――――――――――――――!』

結論《けつろん》。

皆、それぞれ、知られざる一面を持っている。

更に、それらは下手につつくと、とても痛《いた》い目に遭《あ》ったりするぞ。覚えておこう!

……はぁ。

【第六話～働く生徒会～】


「事件《じけん》に大きいも小さいもないのよ！」

会長がいつものように小さな胸《むね》を張《は》ってなにかの本の受け売りを偉《えら》そうに語っていた。

っていうか、本じゃなくて、最早《もはや》テレビドラマの受け売りになってる。

「身長には大きいと小さいがありますけどね」

「知ってるよ！　いいよ、いちいち言わなくて！」

俺が会長をジロジロ見ながら言うと、会長はちょっと涙目《なみだめ》で返してきた。まぁ、俺なんかは女の子に関して、身長小さいことはそれはそれでチャームポイントだと思っているのだが。どうやら会長の理想は、モデル体型らしい。……神様って残酷《ざんこく》だよね。

会長は「それは置いといてっ」と続ける。

「今日は、普段杉崎《ふだんすぎさき》に任《まか》せっきりの雑務《ざつむ》とか、忙《いそが》しくて手付かずだった些細《ささい》な案件《あんけん》を、この私自ら、片《かた》っ端《ぱし》から解決《かいけつ》していってあげようと思うわ！」

「おおー、いい気まぐれの日だー」

深夏《みなつ》が感心した風に呟《つぶや》いていた。確《たし》かに、仕事に精《せい》を出すこと自体はいいことだ。

会長は気を良くし、どんどん話を進めていく。

「たまには庶民《しょみん》にも目を向けないと、支持率《しじりつ》は保《たも》てないからね」

「その『上から目線』はかなり気になるけど、ま、いい心がけね」

知弦《ちづる》さんも特に軌道修正《きどうしゅうせい》する気はないらしい。

「普段は大まかな方針《ほうしん》しか決めてないからね、私」

「もうちょっと早く気付いて欲《ほ》しかった気もします……」

真冬《まふゆ》ちゃんは苦笑《くしょう》気味だ。

「そうと決まれば、始めるわよ！　とりあえず、皆《みんな》、どんどん細かい問題を私に報告《ほうこく》して。そうしたら、私がズバッと解決するから」

自信満々に言い放つ会長を尻目《しりめ》に、俺達は目を見合わせる。……若干《じゃっかん》それぞれ不安はあったものの、まあ害も無さそうなので、とりあえず俺達が知っている問題を相談してみることにする。

まず、真冬ちゃんが動いた。

「あの、真冬のいる一年生の生徒のことなんですけど……」

「うん、何？　どうしたの？　誰《だれ》か密室殺人事件《みっしつさつじんじけん》にでも巻《ま》き込《こ》まれた？」

「いえ、そんな金田一《きんだいち》さんの孫的な人はいないですけど。なんか近頃《ちかごろ》、全体的にちょっと雰囲気《ふんいき》が殺伐《さつばつ》としかけてますというか……」

「？　どうして？」

「多分、グループ分けが確立《かくりつ》してきちゃったからかなぁと。こう、そろそろ仲良しさんの組み分けがハッキリして、その分、対立も表面化してきたと言いますか。あ、別にケンカというレベルでもないんですけどね。ちょっと、真冬は気になります」

「そうねぇ……」

会長はそこで、顎《あご》に手をやって考え出した。……一度、あの可愛《かわい》らしい頭の中身を覗《のぞ》いてみたい。きっと、クマさんとかウサギさんとかが切り株《かぶ》を中心に会議していたりするのだろう。

会長はたっぷりと考えると、真冬ちゃんに向き直り、解決案を提示《ていじ》した。

「パス１」

『えええぇぇぇぇえええええええええええええええええええええええええ⁉』

まさかの、いきなり仕事放棄《ほうき》だった。

全員が呆然《ぼうぜん》とする中、会長は「えへ」と笑う。

「パスは三回まで可《か》！」

「いやいやいやいや！　パスとかありえないですから！」

「じゃあ、却下《きゃっか》」

「もっと駄目《だめ》ですよっ！　問題から目を逸《そ》らしまくりじゃないですかっ！」

「うぅ……いいじゃん、そんな些細な事件とも言えない事件」

「アンタ三ページ前の自分のセリフを思い出せぇ――――――！」

「うー。……じゃ、いいよ。ズバッと解決する。……えとね。皆、仲良くね」

「それで解決したら誰も苦労しませんよ！」

「でもでも、それ以外無いもん。皆、仲良く。それが一番」

「……はぁ」

いや……まあ、真理ではあるんだけど。その理論《りろん》で戦争さえ解決出来るんだけど。

真冬ちゃんは、「じゃあ、今度会長さんから呼《よ》びかけてあげて下さいね」と、笑って引き下がった。……大人だ、真冬ちゃん。よく考えるとここ、二歳《さい》差あるんだよなぁ……。

……碧陽《へきよう》学園は、不思議が一杯《いっぱい》だ。

「さ、次の問題いくわよー！」

なぜか会長は再《ふたた》び張《は》り切っている。正直この時点で彼女への期待なんて誰も抱《いだ》いてやしなかったが、放《ほう》っておいてもダダをこねるだろうから、仕方なくこの不毛な会議を続ける。

真冬ちゃんに続き、今度は深夏が、「ええと……」と問題を捻《ひね》り出した。

「部活動なんだけど、どうもこの学校の緩《ゆる》い空気が悪く作用しちまっているのか、うちの運動部、軒並《のきな》み弱小なんだよ。なにか、やる気出させるいい方法とかねーかな？」

「そうねぇ」

会長、再び思考。あぁ、アニマル会議の様子が見える。

「どうしよークマ。……あ、このハチミツ美味《おい》しいクマ」

「このニンジンもいけるウサ。キツネさんにもあげるウサ」

「ありがとうコン！　じゃあ代わりに油揚《あぶらあ》げあげるコン！」

「わー、楽しそうだね。ボクも混《ま》ぜてよポン」

『去れや、この腐《くさ》れ狸《だぬき》がっ！』

「!?」

ああ、平和だ。……最後なぜか狸が弾《はじ》かれたけど、平和だ。そして、この様子じゃ恐《おそ》らく……。

「パス２」

「おいおい会長さん！　そりゃあないぜ！　ちゃんと考えたのかよ！」

「考えたよ！　とりあえず、タヌキさんは爪弾《つまはじ》き者なんだよ！」

「なにがっ⁉」

本当にあんな脳内《のうない》だったらしい。びっくりだ。超《ちょう》以心伝心。

「とにかく、パスはやめてくれよ！」

「うぅ……そうは言っても、クマさんもウサギさんもキツネさんも食欲《しょくよく》に弱いし……」

「だから、アンタは何の話をしてるんだっ！」

「ちょっと待ってて。森の長老のフクロウさんに相談してくる！」

「どこ行くんだよ！　梟《ふくろう》は喋《しゃべ》らねぇよ！」

「喋るよっ！　私の脳内『どう〇つの森』なら！」

「なんでそんな悲しい遊びを高校三年にしてやってるんだよ！　現実《げんじつ》に戻《もど》れよ！」

「私の現実はどうぶつさん達と共にあるんだよ！」

「既《すで》に手遅《ておく》れっぽいとこ悪いんだが、そろそろ部活動の話題に戻ってくれよ！」

「分かったよ！　ええと……じゃあ、『一生懸命頑張《けんめいがんば》れ』。以上！」

「ああ、なんか予想通りの回答！」

そうして、深夏の相談が終わってしまう。……恐《おそ》るべし、脳内「ど○ぶつの森」。

さて、順番的には俺か知弦さんが何か細々した問題点を報告《ほうこく》する番だ。知弦さんとアイコンタクト会議をするも、結局は「こうなったら、最後まで付き合おう」という無難《ぶなん》な結《けつ》論《ろん》に落ち着く。

そんなわけで、今度は知弦さんが次の相談を持ちかけてくれた。

「アカちゃん、私からもいいかしら？」

「いいわよ。ど～んと来い！」

既にパス2なのに、なぜか自信満々の会長だった。

知弦さんはくすりと微笑《ほほえ》み、問題点を告げる。

「最近、ちょっと落書きが目立つのよ。恋愛《れんあい》のおまじないでちょっとした流行があるみたいでね。内容《ないよう》は、まあ微笑ましいものだし、一過性《いっかせい》のものだろうから、あんまり目くじら立てるようなレベルでもないのだけれど。気にはなってるのよね」

「ふむふむ。それは困《こま》ったわねぇ」

そう言いながら、腕《うで》を組む会長。……もう完璧《かんぺき》に見える。アニマル会議。

「落書きはいけないクマ。……あ、このシャケ美味しいクマ」

「クマ君、ちょっとグロイウサよ。……あ、このニンジン、コクがあるウサ」

「あむあむ。皆と違って、僕はニンゲンの作る油揚げを入手するの、一苦労だコン」

「や、やぁ、皆《みんな》。ボクも……な、仲間に入れてほしいポン……」

『…………』

「……駄目《だめ》だよね、ボクなんて……。ごめんポン。もう、来ないポン」

「……シャケ食うクマ?」

「……秘蔵《ひぞう》のニンジン、分けてあげるウサ」

「油揚げも、美味しいコンよ」

「み……皆!」

大団円《だんえん》だった。色々経緯《けいい》をすっ飛ばして、なんか感動のエンディングを迎《むか》えていた。

こうなると、当然会長の回答は……。

「ぐす……。良かったね、タヌキさん……」

「なに言ってるのアカちゃん⁉　大丈夫《だいじょうぶ》⁉」

「うん、大丈夫。脳内が幸せ色だよ〜」

「危《あぶ》ないわよ！　なんの薬物⁉」

「もう、落書きのことなんて、どうでもいいわ」

「それ言っちゃおしまいよ！」

「パス３」

「結局他人のことはどうでもいいのね、アカちゃんは……」

知弦さんが額《ひたい》に手をやる。しかし……そうしながらも、なぜか彼女は、会長に見えないように目を暗く光らせていた。？　これは一体どういう……。

（パス３よ……キー君。あとは……任《まか》せたわ）

（！　知弦さん……貴女《あなた》……。……分かりました、知弦さん。俺《おれ》は……やりますよ）

一瞬《いっしゅん》のアイコンタクト。俺と知弦さんだけの、秘密《ひみつ》のやりとり。

そう……パス３。パス３なんだ。そして、会長は最初こう言った。パスは三回まで可《か》と。

つまり……ここから先の問題は、回避不可能《かいひふかのう》！

タヌキさんのことで幸福の余韻《よいん》に浸《ひた》りぽわぽわしている会長に、俺は、満を持して話しかける。

「じゃあ会長。俺からも雑務《ざつむ》についての相談……いいですか？」

「うん、いいよー。今の私は無敵《むてき》だからねっ！」

「ちなみに会長」

「ん、なに？」

「もう、パスは使い切りましたからね」

「っ！」

会長が現実《げんじつ》に引き戻《もど》され、青褪《あおざ》めた表情《ひょうじょう》でこちらを見る。……くくく。

俺は早速《さっそく》、自分の雑務ストックを取り出すことにした。

「では会長。俺が普段一人で取り組んでいる雑務を、スパッと見事に一瞬で解決《かいけつ》してもらいましょうかねえ」

「う、うぅ……目が既《すで》に意地悪だよぅ。……優《やさ》しくしてね？」

「ぐはっ！」

鼻血を噴《ふ》いてしまった。深夏が「早速負けんなよ！」と俺を支《ささ》えてくれる。……あ、危なかった。まさか、カウンターを喰《く》らうとは。

気を取り直し、俺は、続けることにする。

「じゃあ、行きますよ、会長。……大丈夫。リラックスして、力を抜《ぬ》いて下さい」

「杉崎、なんか違《ちが》う話してない？」

「では、早速。……ええと、じゃあ、連続で行きますよ。覚悟《かくご》して下さい」

「任せてよ！　どんどん斬《き》るよー！」

俺は、今日片付《かたづ》けようと思っていた案件《あんけん》（生徒の声）をメモった用紙を取り出し、それを次々と読み上げる！


「『図書室の本返却《へんきゃく》が全体的に滞《とどこお》ってます！　生徒会、なんとかして！』」

「返却期限《きげん》を越《こ》えたら自動的に爆発《ばくはつ》するようにしよう！」

「『男子がエッチな雑誌《ざっし》持ってくるの、禁止《きんし》して！』」

「副会長からしてアレだから、今期はガマン！　私も頑張《がんば》るから！」

「『文化祭の予算とか企《き》画諸々《かくもろもろ》、そろそろ決めておいてほしいんだけど』」

「うん、わかった！　知弦、任せたわ！」

「『気分転換《てんかん》のため、制服《せいふく》のデザイン一新しようよー』」

「考えとく！　クマさんの刺繍《ししゅう》つけていい？」

「『男子が掃除《そうじ》当番サボリますー』」

「そんな時は深夏を頼《たよ》って！　腕力《わんりょく》でどうにかしてくれるから！」

「『なんか女子の中でBLが流行《はや》ってます。男子としてはフクザッです』」

「真冬ちゃんを訪《たず》ねてみて！　元凶《げんきよう》の正体が摑《つか》めると思うよ！」

「『家庭科でお菓子《かし》も作りたい－』」

「必ず私に差し入れすることを約束するなら、考えてあげよう！」

「『皆《みんな》でワイワイテレビとか見たい－。設置《せつち》して』」

「家でニ〇ニコ動画でも見てなさい！」

「『年金はちゃんと貰《もら》えるの？』」

「私に相談してないで、社会保険庁《ほけんちよう》にGO！」

「『真儀瑠《まぎる》先生にちゃんと授業《じゆぎよう》させて下さい』」

「無理！」

「『ボクも作家になりたい！　生徒会、富士見書房《ふじみしよぼう》の編集《へんしゆう》さん紹介《しようかい》して！』」

「ファンタジア大賞に応募《おうぼ》よ！　詳《くわ》しくはHPで！」

「『図書室に電撃《でんげき》文庫沢山《たくさん》あったよ。……いいの？』」

「いいの！」

「『私、編集さんになりたいの！　紹介して！』」

「いいけど、オススメしないよ。……大変そうだから……うん。本当に……」

「『ゲームとかお菓子とか漫画《まんが》とか皆普通《ふつう》に持ってきてるけど……いいの？』」

「ノーコメント！（わ○ビーフ食べながら）」

「『クラス替《が》え、好きな者同士で組むことにしない？』」

「そんなことしたら、杉崎が可哀想《かわいそう》でしょ！」

「どういう意味ですかっ！」

「いいから、次の案件読みなさいよ！」

「く……。『もうちょっと休日増《ふ》やして』」

「ゆとり教育の失敗はもう繰《く》り返してはいけないわ！」

「『宿題廃止《はいし》！』」

「うん、やめよう！……いたっ！　うぅ……知弦が怒《おこ》るから、却下《きゃっか》」

「『水飲み場の水道調子悪いよ？』」

「杉崎、ＧＯ！」

「俺はクラ○アンじゃねぇえええええ！」

「ご褒美《ほうび》に、ちゅーしてあげるから」

「行ってきます！」

五分後

「直してきました！」

「早っ！　ク○シアンに就職《しゅうしょく》したら？」

「じゃ、早速《さっそく》ちゅーを……」

「ちゅー」

「……なにしてるんです？」

「ん？　杉崎の飲んでたお茶を、ストローで『ちゅー』としてあげてるの」

「間接《かんせつ》キスでさえねえ！」

「じゃ、次の案件行こー」

「『……会長に、酷《ひど》い詐欺《さぎ》に嵌《は》められました。By杉崎』」

「大丈夫《だいじょうぶ》。杉崎相手だから、これはクロ○ギ。私は正義《せいぎ》！」

「俺、シ○サギじゃねえし！」

「ほらほら、次、次！」

「『学校のパソコン室、休み時間にネット見れるようにしてほしい』」

「ん、分かった。杉崎以外は使っていいよ」

「なんで俺だけ！」

「絶対《ぜったい》ブラクラ踏《ふ》んだり、ウィルス貰《もら》ってきたりするでしょう！」

「そんな！　性病《せいびょう》ならまだしも！」

「なにが『まだしも』なのよ！　とにかく、次行きなさい！」

「『同人誌《どうじんし》出してもいいですか？　許可《きょか》とか必要なんですか？』」

「え、えっちぃのは駄目《だめ》だからね！」

「『アルバイトってしていいの？』」

「学業に影響《えいきょう》しない範囲《はんい》でね！　私に税金納《ぜいきんおさ》めるとなおよし！」

「『生徒会が出した本で稼《かせ》いだ印税、生徒皆で分けようよ』」

「駄目！　私が自由に……じゃ、な、なくて。えと、イベントに使うから！」

「『2年B組がいつも騒々《そうぞう》しいです。2年A組より』」

「杉崎と深夏が居《い》る上に、他メンバーもアレなクラスだから、素直《すなお》に諦《あきら》めて！」

「『うちの学校って、変な生徒多くて大変。私、疲《つか》れたよぅ』」

「頑張《がんば》って！　貴女《あなた》みたいなツッコミ要員は希少なんだからっ！」

「『真儀瑠先生の武勇伝《ぶゆうでん》は常軌《じょうき》を逸《いっ》しているのですが……あれ、真実？』」

「私も分かんない！　でも、どんな事件関《かか》わっていてもおかしくないと思う！」

『もう……レン君の気持ちが分からない！　私、彼女なんだよね？』

「うん、とりあえず、生徒会に訊《き》く前にすること沢山《たくさん》あるよね？」

『人は、何かを失わずには、同等の対価《たいか》を得られないのでしょうか？』

「頑張れ、鋼《はがね》の」

『卒業したらニートになりたい。……そう望むのがいけないことですか！』

「大丈夫！　私もその進路を希望してるから！」

『いじめられてます。…………昆虫《こんちゆう》に』

「とりあえず、もうちょっと詳《くわ》しく状況《じようきよう》を報告《ほうこく》して！」

『世界を……必ず、救ってみせます。アディオス、碧陽学園！』

「よく分からないけど、そっちの物語も頑張って！　私はお菓子《かし》を食べて待ってるよ！」

『他校の生徒にナンパされていたところを、杉崎先輩《せんぱい》が助けてくれました』

「感謝《かんしや》しているみたいだけど、その後、その杉崎にナンパされたでしょう？」

『椎名深夏《しいな》……ヤツは化物か！』

「何を見たの！」

『椎名真冬……ヤツは……。……どうしてああなっちゃったんだろうね』

「人が堕《お》ちていく様って、悲しいよね」

「『紅葉《あかば》が、同い年とは思えません。……自信なくします』」

「そういう時は私を見たらいいと思うよ！……って何言ってるの私！」

そんなわけで、最後に会長が盛大《せいだい》に自爆《じばく》して、雑務《ざつむ》は終了《しゅうりょう》した。まあ、何一つ解決《かいけつ》してない気がするけど。

会長が「働いたー！」と満足そうに伸《の》びをする中、深夏が「しっかし」と感心したように俺のメモを奪《うば》い取りながら話しかけてくる。

「お前、いつも、こんな分量の仕事を一人でこなしているのか？」

「ん、まあな。大半はくだらない話だし、そんな作業でもねぇよ」

まあ、最初の頃《ころ》は大変だったけど。

深夏に続き、真冬ちゃんまで俺を褒《ほ》めてくる。

「でもでも、真冬もここまでとは思ってませんでした。沢山あるんですね……生徒からの声って」

「ああ、今年は特にみたいだよ。生徒会のメンバーが割合《わりあい》話しかけやすいからだろうな。些細《ささい》なことをすぐ報告してきやがる。まったく。今や俺なんか便利屋《べんりや》扱《あつか》いだよ」

「確《たし》かに変な声も多かったですけど……それでも、さっきの水道の修理《しゅうり》とか、いっつも先輩一人でこなしているんですよね？……凄《すご》いです」

「慣《な》れればそうでもないさ」

俺は少し照れて顔を逸《そ》らす。……こういうので褒められるのは苦手だ。評価《ひょうか》して欲《ほ》しくてやってることは存分《ぞんぶん》に評価して貰《もら》いたいが、雑務に関しては、俺がハーレムで快適《かいてき》に過《す》ごすために勝手にやっているだけだ。冗談《じょうだん》で見返りは求めても、本気で褒められるとなんかくすぐったい。

俺に助け舟《ぶね》を出す意味もあってか、知弦さんが仕切り直してくれた。

「で、アカちゃん。今日の仕事はこれで終わり？」

「ん、私は満足っ！　よく働いたわ！　さすが会長、こんな分量の相談を一気に片付《かたづ》けてしまったわね！」

「……まあ、アカちゃんがいいなら、別にいいけど」

疲れた様子で嘆息《たんそく》する知弦さん。可哀想《かわいそう》に……結局いつものように無駄《むだ》会議だったのみならず、会長自身は自分が仕事をしたと自負しているという、なんともやりきれない状況だ。

会長がふんぞり返っているのを皆《みんな》でシラーッと見つめていると、真冬ちゃんが「ところで」と切り出してきた。

「生徒会の仕事って本来、どこまでやる必要あるんでしょう？」

「どういう意味？」

「いえ、真冬もさっきの雑務を聞いていてふと思ったんですけど。それこそ、水道の修理とかって、生徒会のやる範疇《はんちゅう》じゃないのでは？」

「まあ、それはそうかもしれないな……」

人に頼《たの》まれると断《ことわ》れないから、つい、ほいほい動いてしまっていたけど。確かに、よく考えるとああいうのは、生徒会の仕事じゃない気もしてくる。

しかし、深夏が「でもよ」と反論《はんろん》してくる。

「あたしも面倒《めんどう》はイヤだが、そもそも生徒会って、生徒のために動く機関だろ？　だから、つきつめると『生徒からの声』だったらとりあえず受け取らなきゃいけねぇんじゃないか？　まあ水道修理に関しては本来、うちから更《さら》に校務員さんにでも話を持ってくべきだった気がするがな」

そう言いながら深夏がこっちを見る。……ああ、どうせ俺《おれ》はアホですよ！　愚直《ぐちょく》に自分でなんでもやっちゃいますよ！　万能《ばんのう》人間の悲しい習性《しゅうせい》ですよ！

知弦さんがクスクスと笑う。

「普通《ふつう》なら『橋渡《はしわた》し』ぐらいの気持ちでいいんじゃないかしら、生徒会って。生徒と職員《しょくいん》室、生徒と業者さんみたいな。勿論《もちろん》、連絡《れんらく》を司《つかさど》るという意味では生徒と生徒もそうね。なにかの決断に関しても、本来なら生徒達の意志《いし》を反映させるわけだし。そういう意味においては……」

そう言いながら、会長を見る知弦さん。……会長は、現在《げんざい》、手元にあったメモ用紙に、まるで子供《こども》がお絵かきでもするかのようなキラキラした表情《ひょうじょう》で《桜野《さくらの》くりむの十の野望〜その十三〜》等と書き込んでいた。……全員で嘆息する。

「今年の生徒会は……今更だけど、全力で道を踏《ふ》み外しているわね」

「とはいえ、知弦さん、この状況が嫌《きら》いじゃないんでしょう」

「鋭《するど》いわね、キー君。ええ、私好きよ、道を踏み外すの」

「将来《しょうらい》に激《はげ》しく不安を抱《いだ》かせる発言ですね」

「あら。私の知る『最高に道を踏み外している人間』の一人が、何を言うの」

「俺はもう手遅《ておく》れか！」

「大丈夫《だいじょうぶ》。アカちゃんと真冬ちゃんも同じ位置だから」

「真冬まで！」

俺と真冬ちゃんは知弦さんに猛烈《もうれつ》に抗議《こうぎ》する。そんな中、深夏だけは一人「ふふん」と胸《むね》を張《は》っていた。

「さすが知弦さん、よく分かってんな！　この生徒会における、あたしの常識人《じょうしきじん》ぶりは、群《ぐん》を抜《ぬ》いてるぜ！」

「あ、いえ。深夏は『殿堂入り《でんどう》』だから……」

「殿堂入り!?」

「このご時世、熱血熱血叫《さけ》んで暴走《ぼうそう》している女子が、マトモだとでも？」

「そういう言い方すんなよ！　いいじゃねえかよ、誰《だれ》にも迷惑《めいわく》かけてねえし！」

「可哀想《かわいそう》に……この子、まだ、自分のことをマトモだと……うっ」

「泣きマネとかいいから！　とにかく、あたしは常識人だよ！　な、真冬！」

急に振《ふ》られた真冬ちゃんは、一瞬《いっしゅん》びくっとし、そして、深夏からふっと目を逸《そ》らした後、ぎこちない表情で告げる。

「う、うん！　お、お姉ちゃんは、真冬の自慢《じまん》のお姉ちゃんだよ！」

「なにその持ち上げ方！　不自然すぎるわ！」

真冬ちゃんに叫《さけ》ぶ深夏の肩《かた》に……俺は、ぽんと、手を置く。

そして……ふるふると、首を横に振った。

「いやいやいやいやいや！　なんで聞き分けのない子を諭《さと》すような空気なんだよ！　あたしは、絶対《ぜったい》、この生徒会じゃ一番普通だよ！」

「……そうだな。ああ、そうさ。深夏は……普通さ。それで、いいよな、皆《みんな》」

『ええ』

真冬ちゃんと知弦さんが微笑《ほほえ》む。

「納得《なっとく》いかねぇえええええええええええええええええ！」

そうして叫び続ける深夏を、俺達は、ただただ、温かく見守ってあげたのだった。


さてさて。

会長は野望構想《こうそう》を、俺達は深夏いじりをして遊んでいるうちに、すっかり遅《おそ》い時間になってしまった。

会長が「うむ！」と場を仕切る。

「今日はとってもよく働いたわね！　というわけで、そろそろ解散《かいさん》しますか！」

その言葉に呼応《こおう》し、ハーレムメンバー達はそれぞれ、帰り支度《じたく》を始める。で、当然俺はいつものようにそれをボーっと見守っていたわけだが……。

「ほら、なにしてるの杉崎。帰るよ？」

「ふぇ？　あ、いや、会長。大好きな俺と一緒《いっしょ》に帰宅《きたく》したいその乙女心《おとめごころ》は分かりますが、すいません。俺はいつもの雑務《ざつむ》が……」

「ないでしょ」

「へ？」

「だから、雑務。さっき私がパーッと解決したじゃない！」

「…………。……あー」

しまった。この人、本当にあれで全部いいと思ってるのか。視線《しせん》を逸《そ》らすと、椎名姉妹《しまい》も知弦さんも表情を引きつらせていた。

緊急《きんきゅう》アイコンタクト会議開始。

（ど、どうしよう、知弦さん。会長、全部解決だと思ってるみたいですよ）

（そ、そうね……。……今日のところはキー君、一緒に帰る？）

（いや、まずいですよ、それは。さっきは、早めの対応《たいおう》を要する雑務は予《あらかじ》め省いておきましたし。そっちを解決せずに帰宅しちゃうのは、ちょっと……）

（鍵《けん》……お前、どこまでお人よしなんだよ）

（いや、真面目《まじめ》な問題をあの会長に報告《ほうこく》するのは、色んな意味でまずい気がするだろ）

（そ、それはそうかもですね。じゃあ先輩《せんぱい》、真冬達と一緒には帰れないんですね？）

（ああ。だから、いつも通り四人で帰ってもらいたいんだが……）

そこで、ちらりと会長を見る。彼女はキョトンとした様子で俺を見ていた。

「どうしたの？　杉崎。早く準備《じゅんび》しなよ。帰るよ～」

「う……い、いえ、あの」

（どうしましょう、知弦さん！）

（と、とりあえず、玄関《げんかん》まででも一緒に帰るフリをしましょう！　そこで、何か理由つけて別れれば、なんとかなるんじゃないかしら）

（わ、分かりました）

「早くしなよー、杉崎ー」

「は、はい！」

俺はとりあえず鞄《かばん》を持ち、椅子《いす》から立ち上がる。そうしてかなり久々《ひさびさ》に、皆と一緒に生徒会室を出た。

全員でぞろぞろと夕暮《ゆうぐ》れの廊下《ろうか》を歩く。……正直ちょっと幸せだったが、そうも言ってられない。

「ううん、仕事を全部サッパリ片付《かたづ》けての帰宅は、気分いいねー！　ね、杉崎！」

「え、ええ」

ズキズキ。なにこの心の痛《いた》み！　っつうかこの人メッチャ笑顔《えがお》だよ！　達成感バリバリだよ！　本当は何一つ達成してないのに！

皆も俺と同様の気分らしく、額《ひたい》に汗《あせ》を浮かべて、顔を背《そむ》けていた。

会長は、相変わらずやたら機嫌《きげん》良さそうだ。

「杉崎が毎回手間取る雑務を一瞬《いっしゅん》で片付ける私！　まさに会長の器《うつわ》よね」

「……そうですねー」

「この辺が、会長と副会長との、超《こ》えられない力の差よね」

「まあ、ある意味力の差は歴然《れきぜん》かと」

「あんなものに手間取るようじゃ、杉崎もまだまだだよ〜」

「そ、そうですね。しょ、精進《しょうじん》します」

なんか段々腹立《だんだんはらた》ってきたぞ。これは一回説教すべきかも——

「杉崎はホント、全然駄目《だめ》だね。だから、これからも私がちゃあんと導《みちび》いてあげるから、感謝《かんしゃ》しなさいよ。この会長たる私が、傍《そば》でしっかりサポートしてあげるから」

「…………」

…………。……くそ、ずるいなぁ、このチビッ子会長は！　赤面しちゃったじゃないか、俺！　っていうか、俺だけじゃなく、皆、ちょっと照れていた。その、あまりに無邪気《むじゃき》な好意に。

会長は、なおも続ける。

「杉崎は、もっとバンバン決断《けつだん》しなきゃ駄目だよ。私みたいに！」

「誰もが会長みたいにバンバンテキトーな決断したら、この世は終わると思います」

「『俺について来い！』精神《せいしん》だよ、杉崎」

「じゃあ会長。『俺について来い！』」

「やだ」

「うわぁあああん！」

煽《あお》られた上に、フラれた。酷《ひど》い。酷すぎる。

「そうじゃなくて、杉崎は、私についてくればいいんだよ！」

「…………。…………！」

「って、なに赤面してるの！　変な意味じゃないからね！　会長として、副会長への発言だからね！」

「分かりました！　一生ついていきます！」

「一生じゃなくていいよ！」

会長とそんなやりとりをしていると、つんつんと、肘《ひじ》を突《つ》かれた。深夏だ。

小声で話しかけてくる。

「（なに活《い》き活きと夫婦漫才《めおとまんざい》してるんだよ！）」

「(まあまあ、嫉妬《しっと》するな、深夏よ)」

「(そうじゃなくて！　お前、雑務《ざつむ》のことすっかり忘《わす》れてただろう！)」

「(！　そ、そうだった！　テキトーなところで切り上げなくては！)」

危《あぶ》ない危ない。すっかり会長ペースに乗せられていた。

俺はこほんと咳払《せきばら》いし、仕切り直す。

「あー、会長」

「なに、杉崎」

「ええと……あの、ええと、そう！　忘れ物しましたんで、先帰ってて下さい！」

「忘れ物？　生徒会室に？　それぐらいだったら、待ってるよ。すぐだし」

「あ、いえ、あの。じゃあ生徒会室じゃなくて……ロンドンに」

「遠っ！　っていうか、それ、今取りに行く必要あるの!?」

「えと……。……ないかも、です」

「なんなのよ！」

忘れ物作戦、失敗。とりあえず、一旦《いったん》引き下がる。

すると、真冬ちゃんが小声で声をかけてきた。

「(なんでロンドンなんですか……)」

「(いや、なんとなく。しかし……どうしたものか)」

「(忘れ物じゃ、『取ってくるまで待ってるよー』となってしまいます。ここは……もっと別の用事がいいんじゃないかと、真冬は思います。例えば――)」

そうして、真冬ちゃんからアイデアを伝授《でんじゅ》された俺《おれ》は、会長の方へと戻《もど》る。

「会長、会長」

「なによ」

「ちょっとモ○ハンやりたいんで、先帰っててもらっていいですか?」

「それ、今やらなきゃいけないの!?」

「はい! 今やらないと、発作《ほっさ》が……」

「どんだけゲーム廃人《はいじん》なのよ! 却下《きゃっか》だよ! ほら、帰るわよ!」

「あぅー」

ゲーム作戦、失敗。……っていうか、失敗するだろ、これ。

真冬ちゃんは一人、「おかしいなぁ」と首を傾《かし》げていた。……あの論理《ろんり》が通用するのは、真冬ちゃんだけだよ。

連続での作戦失敗に落ち込《こ》んでいると、今度は知弦さんが声をかけてきた。

「(不甲斐《ふがい》ないわね、キー君)」

「（返す言葉もございません）」

「（仕方ない。ここは、私が名案を授《さず》けてあげるわ。感謝しなさい）」

「（おお、神様仏様《ほとけさま》女王様……）」

　というわけで、知弦さん案を実行してみることにする。

　とりあえず、会長の隣《となり》に移動《いどう》。

「ふー。……夏ですね」

「今、そんなこと実感する場面あった？」

「夏と言えば、恋《こい》の季節」

「ねえ、会話の内容《ないよう》が見えないのだけど」

「恋と言えば……そう。ムチと蠟燭《ろうそく》ですね！」

「違《ちが》うわよ！　恋の認識《にんしき》が激《はげ》しく歪《ゆが》んでるよ！」

「そんなわけで俺、買い物に行かなきゃいけなくて。残念ですけど、ここで……」

「待てぇい！　どこに買い物行く気よ！　絶対《ぜったい》行かせないわよ、その買い物！」

「えー」

　買い物作戦、失敗。……っていうか、普通《ふつう》に『買い物行きます』とだけ切り出しておけば、成功していた気がする。序盤《じょばん》の会話、要《い》らなかったんじゃなかろうか。背後《はいご》では知弦さんが「仮面《かめん》とアミタイツにすればよかったかしら……」と、なにやら悔《く》やんでいた。

……まあ、いいんじゃない、性癖《せいへき》は人それぞれで。

しかし、そろそろまずい。もう、玄関《げんかん》についてしまう。いつまでもダラダラと帰宅《きたく》に付き合っていては、雑務《ざつむ》をこなす時間がなくなってしまう。校内でケリをつけたい。

俺は、ガムシャラに攻《せ》めることにした！

「会長！　俺、ムラムラしてるんで、先帰ってて下さい！　じゃ！」

「行かせるかっ！　そんな危険《きけん》人物、放せるわけないでしょう！」

「あ、思い出した！　俺、死んでたんだ！　だから、ここからは出られな——」

「なんで急に地縛霊《じばくれい》であることをカミングアウト!?　絶対無いでしょ！」

「そうだ。京都に行こう」

「明日も学校あるでしょ！　駄目《だめ》よ！」

「く……なんてこった。足が……足が！　俺に構《かま》わず先に行けぇ！」

「そんな後味悪い帰宅いやすぎるよ！」

「放課後、踊《おど》り場の鏡に『本当の自分』が映《うつ》るらしいですよ。俺、行ってきます！」

「見るまでもなく、エロガッパだと思うよ！」

「そうそう、音楽室に女子の使った縦笛《たてぶえ》あったな……うん」

「ってどこ行くの！　絶対行かせないよ！」

「会長、俺……。会長の本当の弟じゃ……ないんだ」

「え？」

「会長……さよなら！」

「って意味分かんないよ！　最初から弟じゃないし！」

「ハッ！　この妖気《ようき》は……父さん、急がないと！『うむ、行くぞ、鬼《き》○郎《ろう》』」

「なに髪《かみ》の毛をワックスでピンと立たせてるのよ！　そして裏声《うらごえ》バレバレ！」

「そうか……だとしたらあのトリックを使えたのは……。……しまった！」

「なに金田一さん風に駆《か》け出そうとしてるのよ！」

「これは……封絶《ふうぜつ》!?　吉田《よしだ》さん、早く逃《に》げて！」

「吉田さんって誰《だれ》！」

「ピロリロリン！　く、ヤツか！」

「別にニュータイプじゃないでしょう、杉崎！　何に反応《はんのう》したのよ！」

くそ……まずい。全然、先に帰ってくれない。かなり手を尽《つ》くしたのに……。

椎名姉妹《しまい》と知弦さんの表情《ひょうじょう》にも、焦《あせ》りが見られる。

このままでは……。

俺達がそう諦《あきら》めかけたその時。

「あ、そうだ！　今日、六時からテレ東で新アニメだった！」

会長は唐突《とうとつ》にそう叫《さけ》んだかと思うと、次の瞬間《しゅんかん》には「じゃあね、皆《みんな》ー！」と、猛《もう》スピードで走り去って行ってしまった。

………………。

『……………………』

と、いうわけで。

「……じゃ、お疲《つか》れー」

「うぃーっす」

「はーい」

「また明日ー」

実にあっさりと、俺達は、解散《かいさん》したのだった。

…………。

やばい。雑務に取り掛《か》かるための気力が、根こそぎ持ってかれた。

「今後、会長にはより一層《いっそう》仕事をさせない！」

自分自身のため、そして学校のため、改めてそう決意し直した俺であった。

【最終話～差し伸《の》べる生徒会～】

「子を想《おも》う親の愛情《あいじょう》こそ、真に美しいものなのよ！」

会長がいつものように小さな胸《むね》を張《は》ってなにかの本の受け売りを偉《えら》そうに語っていた。

今回はなんとなくその名言を選んだ理由が分かった。

生徒会室を見渡《みわた》す。今日も、深夏《みなつ》は席をはずしていた。それどころか、真冬《まふゆ》ちゃんまでいない。というのも……。

「三者面談って、学校内のコミュニケーションにおける三大苦行の一つですよね」

俺は嘆息《たんそく》しながら告げる。ちなみに、残り二つの苦行は、「自己紹介《じこしょうかい》」と「面接練習」《めんせつ》だったりする。場合によっては「家庭訪問《ほうもん》」のランクインも認《みと》める。

会長と知弦《ちづる》さんも、うんうん頷《うなず》いていた。ちなみに椎名《しいな》姉妹以外のメンバーは、前日までに既《すで》に終了《しゅうりょう》している。今日は、二人の母親が来る日のため、二人まとめて面談だ。まとめてとは言っても、それぞれの担任《たんにん》と、別々にだが。

俺は二人の席をちらりと見て、からかわれる前に自己申告《しんこく》することにした。

「あの二人居《い》ないと、結構寂《けっこうさび》しいッスよね……」

「そうねぇ」

今日は俺を必要以上にからかうこともなく、知弦さんが同意する。会長も、「うーむ」と腕《うで》を組んで唸《うな》っていた。

「一人欠席ぐらいだったら会議進めるけど、二人も居ないと、さすがにねぇ」

どうやら仕事を始める気が起きないらしい。俺達も全く異論《いろん》がないので、テキトーに雑《ざつ》談《だん》を続けることにした。

「そのうち、深夏が戻《もど》ってくるでしょう。先にやるらしいですよ、面談」

「そう。まあ、そんなに時間かかるものでもないでしょう」

そう会長が言ったところで、雑談もストップする。……別に話題が無いわけじゃないのだが、妙《みょう》に、テンションが上がらない。

空気を察して、知弦さんが話題を提供《ていきょう》してくれた。

「キー君はどうだったの？　三者面談」

「俺ですか？　まあ特にどうということもなかったですね。あー、ただ、母親が来たんですけど……。母さん、血の繋《つな》がり無関係で俺を溺愛《できあい》しているとこあるから、担任が軽く引いた場面はありましたけど」

「あ、キー君の親は昔再婚したんだったわね」

そこで知弦さんと会長さんが一瞬神妙な表情になってしまったため、俺は慌てて取り繕う。

「や、そんな気遣《つか》われても困《こま》りますって、逆《ぎゃく》に。そもそも俺は本当の母親の記憶《きおく》が無いんで、結構《けっこう》すんなり受け容《い》れましたし。普通《ふつう》に『母さん』って呼《よ》んでいるぐらいですから。親が離婚《りこん》した……っていう話題はまあ暗い話題ですけど、再婚っていうのは、案外ネガティブなだけじゃないですよ？」

「まあ……そうかもね。ドラマの印象が強いから、勝手にぎくしゃくしているイメージは抱《いだ》いているかもしれないわね」

「ああ、そういう意味では、うちの家族は仲いい方ですよ。まあ……林檎《りんご》の入院の一件《いっけん》以降《こう》、俺が勝手に引け目を感じてしまっている部分はありますが、だからと言って家庭崩壊《ほうかい》みたいなことにはなってないです」

「……そう」

知弦さんが柔《やわ》らかく微笑《ほほえ》む。俺はその微笑《びしょう》を見ながら……むしろ問題は深夏の方かもしれないなと、ふと、そんなことを考えていた。何か聞いたわけじゃないけど、アイツは、親の話題になると若干緊張《じゃっかんきんちょう》気味になる。しかし真冬ちゃんはそうでもないところを見ると、中々に複雑《ふくざつ》そうで、下手に触《ふ》れられないのだが。

俺は、会長に話を振《ふ》って雰囲気《ふんいき》を変えることにした。

「会長の三者面談は……」

「うちも母親が来たわよ」

なぜか胸《むね》を張《は》る会長。相変わらず、意味の分からないところで自信がある人だ。

「担任の先生と親御《おやご》さんが、会長の発育について話し合ったわけですね」

「そんなこと話さないよ！」

「特にバストのことを重点的に」

「そんな大人達に教育されたくないっ！」

「今後は、豊胸体操《ほうきょうたいそう》を授業《じゅぎょう》に取り込んで行く方針《ほうしん》で決定したとかしないとか」

「しないよ！」

「会長の親も、会長に似て変わり者ですね」

「全部杉崎《すぎさき》の脳内設定《のうないせってい》でしょうがっ！」

「ところで、知弦さんの三者面談はどうでした？」

「私のターン、杉崎の妄想《もうそう》だけで終わった！」

叫《さけ》ぶ会長を無視《むし》し、知弦さんに話を振る。

知弦さんは、サラリと髪《かみ》を手で梳《す》いて、不敵《ふてき》に口を開いた。

「むしろ、私と母による、先生の今後を話し合う三者面談だったわね」

「なんですかその迷惑《めいわく》な面談！」

「先生、終盤正座《しゅうばんせいざ》だったわね、床《ゆか》に」

「親娘《おやこ》そろって女王様気質《きしつ》かっ！」

「とりあえず、株《かぶ》を始めなさいと指示《しじ》しておいたわ。銘柄《めいがら》も指定して」

「なんか確実《かくじつ》に儲《もう》かりそうで怖《こわ》いっ！」

「『教師人生《きょうし》じゃ、日本のトップはとれないわよ』とは、母さんの言葉ね」

「激《はげ》しく余計《よけい》なお世話だと思います！　元々トップ目指してないと思います、先生！」

真儀瑠《まぎる》先生ならともかく。

「翌日《よくじつ》から、うちの担任は生まれ変わったわ。授業そっちのけで、デイトレード三昧《ざんまい》よ」

「今すぐ元に戻して下さいっ！」

三者面談の目的が完全に入れ替《か》わっていた。……なにしてんだ、この親娘……。

——と、そんな話をしていると、ガラガラと戸が開いた。

「……はぁ」

珍《めずら》しく溜息《ためいき》と共に、深夏が入室してくる。俺達はそれぞれ「お疲《つか》れ」と彼女に声をかけるが、それにも「どうも」と返すだけで、深夏は全体重をあずけるかのようにどっさりと自分の席に腰《こし》を下ろした。

知弦さんと会長と目を見合わせ、代表して俺《おれ》が、深夏に声をかけることにする。

「えと……深夏？　なんかあったのか？　三者面談……そんなにいやだったのか？」

ちょっと踏《ふ》み込みすぎかなとも思ったが、そもそもこういう質問《しつもん》をされたくないなら演《えん》技《ぎ》でも元気を装《よそお》うだろう深夏なので、思い切って訊《き》いてみる。彼女は「んー……」と複雑そうにしばし唸《うな》った後、意を決したように、体を起こした。

「別に、イヤっていうことでもねーんだけどさ……」

深夏は顔をしかめている。俺達は少々戸惑《とまど》いながらも、深夏の気分が晴れるならと、少し踏み込むことにした。

会長が、代表して訊《たず》ねる。

「深夏は、親と仲悪いの？」

少々直接的《ちょくせつ》すぎるなとは思ったものの、会長らしくて、それはそれでいい。

深夏は苦笑《くしょう》したものの、特に気分を害した様子もなく、むしろ腹《はら》をくくったように、笑《え》顔《がお》を見せる。

「うん……まあ、丁度真冬もいないし、いい機会だから、話しておくかな」

そう前置きし……深夏は、改めて、俺達を見回した。

そして……彼女は話し始めた。自分と、親と、男嫌《ぎら》いの話を。

＊

本当の父親の顔を、あたしは知らなかった。

物心ついた時には、優《やさ》しく微笑《ほほえ》む母と、すぐに泣く妹だけが傍《そば》に居《い》た。それが、あたしの所属《しょぞく》する世界の全《すべ》てだった。

全く不満はなかった。本当にだ。保育園《ほいくえん》で父親不在《ふざい》をバカにされたことがあったけど、特に怒《いか》りや悲しみは湧《わ》いてこなかった。多分、充分《じゅうぶん》幸せだったからだろう。母がいて真冬がいて、それ以上誰《だれ》かを欲《ほ》しいとは考えたこともなかった。

真冬も似《に》たようなものだった。気が弱い真冬は、父親のことを言われると、相手の悪意に反応《はんのう》して泣いてしまいはしたけど、だからと言って、父さんが欲しいだとか、どうして父さんがいないのとか、そういったことは言わなかった。遠慮《えんりょ》していたというよりは、あたしと同じで、父親というものが必要だとは思わなかったのだろう。

でも。

母は、違《ちが》ったようだった。

小学校に上がって少ししたある日。友達と遊ぶという真冬より先に家に帰ると、知らないおじさんが居た。

母と一緒に、にこやかに、しかし少し緊張《きんちょう》気味にあたしに「おかえり」と言う。

あたしは顔を覚えてない親戚《しんせき》のおじさんか何かかと思い、テキトーに挨拶《あいさつ》を返した。そのまま部屋に行こうと思ったけど、なぜか、母はそのおじさんに遊んで貰《もら》えとか、勉強を教えてもらったらとか、そんなことばかり言った。

おじさんもやたら乗り気で、妙《みょう》に張《は》り切っていた。

そこで、なんだか、あたしは初めてイヤな気分になった。

「なんでうちにいるの？」

思わずそんなことを、少し不機嫌《ふきげん》な顔で言ってしまった。

その瞬間《しゅんかん》、いつも優しかった母が、とても怒《おこ》ったのを覚えている。びっくりしたせいか、詳《くわ》しい言葉は覚えていない。逆《ぎゃく》に、おじさんがせっせと宥《なだ》めてくれていた。

結局、おじさんは「あ、そろそろ仕事が……」とか言って、不自然にそそくさと帰って行ってしまった。小学生のあたしにも気を遣《つか》ったことが分かったし、正直なところ、別にそのおじさんが嫌いなわけではなかったのだけど……おじさんを見送る母の少し悲しそうな顔を見ると、なぜだか、またモヤモヤした気持ちになった。

その後、真冬が帰って来た。いつものように無邪気《むじゃき》に振《ふ》る舞《ま》う真冬を見ていて……なぜかあたしは、妹をあのおじさんに会わせたくないなと思った。

それが、あたしと母のぎくしゃくの始まりだった。

母はなにかというと、おじさんとあたし達姉妹《しまい》を引き合わせたがった。そしてあたしは、断固《だんこ》としてそれを拒否《きょひ》した。徐々《じょじょ》に、小学生のあたしにも母がおじさんをどういうポジションに置こうとしているのか、理解《りかい》出来始めていたから。

母にとってそこは空席。あたしや真冬にとっては、最初から無い席。そういうことだ。

特に、真冬がおじさんと会うことだけは断固阻止《そし》した。あたしが感じたあのイヤな気分を、純真無垢《じゅんしんむく》な妹には絶対《ぜったい》に味わわせたくなかったから。

真冬にはかなり神経質《しんけいしつ》に、そして抽象《ちゅうしょう》的に「男」を否定《ひてい》する言葉をすりこんでしまったと思う。それは、ある意味自己暗示《じこあんじ》でさえあったけど。

あたしにとって、おじさんは敵《てき》だった。いや……少し違うか。おじさんが、というより、その「席」が敵だった。母の中にあり、あたしと真冬の中に無い席。それが、どうしても認《みと》められなかった。

でも、どこかで、自分のワガママも理解出来ていた。あたしが拒絶することを、母がとても悲しんでいるのは知っていたから。そして……母にとってその席が必要なことも、肌《はだ》で、感じていたから。おじさんは、母の空白を埋《う》めているのだと、子供《こども》ながらに分かり始めていたから。

だから。

あたしは、子供らしくもない……今なら分かる、とても悲しいことを母に言ったのだ。

「おじさんと会うのはいいよ。ケッコンしてもいい。でも、『それ』は、あたしと真冬にはカンケーない。カンケーないようにして」

それは……あたしが、線を引いた日の話。

母とおじさん、あたしと真冬という区分けで、家族に線を引いた日の出来事。

母は「そうね……」と微笑《びしょう》し……そして、泣いていた。

あたしは、自分も少し泣きそうになったけど、我慢《がまん》して、真冬のもとに戻《もど》った。

無邪気《むじゃき》な真冬を見て、自分は間違ってないと言い聞かせた。

たとえ家族の間にどんな溝《みぞ》が出来ても、この笑顔《えがお》さえ守れたら、それでいいのだと。

＊

深夏の、少し自嘲《じちょう》気味に語る話が一段落《いちだんらく》し、生徒会室は沈黙《ちんもく》に包まれた。

知弦さんは、普段《ふだん》の不敵《ふてき》な笑みをなくし、完全に無表情《むひょうじょう》を保《たも》っている。会長はと言えば、なんだかとても悲しそうに、顔をしかめていた。

そして俺は……深夏と初めて会った時のことを思いだし、妙《みょう》な胸《むね》の痛《いた》みを感じていた。

去年の夏。生徒会を目指そうと決心した俺は、とりあえず、同じ学年で生徒会役員の深夏に、「どうしたらキミみたいになれる」と質問《しつもん》しに行ったことがある。

その時……深夏は、恐《おそ》ろしく冷たい目で、俺にこう言ったのだ。

「あたしになろうとしているヤツに、生徒会に入る資格《しかく》はねえだろ」

当時でさえ、俺はそれにショックを受けて、そして、その言葉を原動力に、自分らしさを磨《みが》く日々に突入《とつにゅう》したわけだけど。今なら……その言葉の重みが、より分かる。

しんとしてしまった生徒会室の空気を気にしたのか、深夏が「え、と」とちょっと慌《あわ》てる。

「あ、すまん。いや、別に、テンション下げようと思って話したわけじゃねーんだ」

「……というと？」

会長が首を傾《かし》げる。深夏は、改めて話し始めた。

「なんつうか……あたしのワガママなんだけど、あたしは、心から、真冬には幸せになってほしいと思ってるんだ。ちょっと、あたしのせいで歪《ゆが》めてしまった部分はあるけど、あの子は、本当にいい子だから。だから……父親のことに関してもだけど、真冬のこと、このメンバーには、これからも優《やさ》しく見守ってやってほしいなって、思って」

「深夏……」

「特に、鍵《けん》。お前には、結構感謝《けっこうかんしゃ》してるんだぜ」

「え、俺？」

深夏に褒《ほ》められることなんて珍《めずら》しすぎるので、俺は大袈裟《おおげさ》に驚《おどろ》く。

深夏は、少し照れながら言った。

「あたしのせいで男嫌いになっちまった真冬が、鍵のおかげで、最近大分改善《かいぜん》されてきたからな」

「うむ。今では、心どころか体まで俺に許《ゆる》してるもんな」

「そこまでは行ってねえだろ！」

「時間の問題だ」

「やっぱお前から遠ざけるべきな気がしてきたわ！」

深夏が叫《さけ》ぶ。生徒会の空気が若干弛緩《じゃっかんしかん》したところで、俺はふと質問する。

「……ちょっと疑問《ぎもん》なんだけど、真冬ちゃん、いくら深夏に教育されたからって、小学生の頃《ころ》は普通に男子とも接《せっ》してたんだろ？　なんであそこまで？」

「あ、いや、あたし達は元々田舎《いなか》の小さい小学校に通ってたんだけど、特に真冬の学年は、男子が一人しかいなかったりしてな。その子とも特に親しくしていたわけじゃないし、中学に上がった時は……ほら、あたしが母さんとあたし達の生活を線引きしようとして、全《ぜん》寮制《りょうせい》の女子校に行かせたから。あたしも、二年から転校したし」

「思っていた以上に徹底《てってい》してんだな」

「今考えれば、やりすぎたと反省する部分もあるけどな。でも、正直、間違《まちが》っていたとはあんま思ってねえ」

深夏はそう言いきった。深夏らしい。自分の選択《せんたく》には、いつだって自信と責任《せきにん》を持っている。

会長が、仕切るように「それで」と話を纏《まと》めた。

「深夏と母親の関係は、未《いま》だに改善《かいぜん》してないのね。おじさんの存在《そんざい》がひっかかって……」

「ああ、いや、ちょっと違う」

「？」

「結局、母さんは破局《はきょく》したんだ。あたしが中三の時に」

『…………』

ちょっと、時間が止まる。

そして……知弦さんが額《ひたい》に手をやって、指摘《してき》。

「ちょっと待ちなさい」

「なんだ？」

「じゃあ……今、家族間に全く問題ないんじゃない？」

「まあ、そうだな。今は三人一緒《いっしょ》に幸せに暮《く》らしてるし」

ケロッと答える深夏。それに、遂《つい》に会長がキレた。


「私の同情《どうじょう》を返せ――――――――――――――――――――！」


「そう言われても……そっちが勝手に……」

「なんだったのよ、さっきまでの深刻《しんこく》なノリ！」

「いや、実際《じっさい》、その頃は深刻だったわけだし」

「でも今は解決《かいけつ》してんじゃない！」

「うん。だから、そう言ったじゃないか」

「遅《おそ》いのよ！　既《すで》に解決していることを、前置きしてよ！」

「ええー。ネタバレじゃねえかー」

「こういう話題の時にまで、語り方を工夫《くふう》しなくていいよ！」

「途中《とちゅう》、場合によっては戦闘《せんとう》も盛《も》り込《こ》みたかったんだけどさ」

「自分の過去《かこ》をいじろうとしないでよ――――――――――――――!」

会長がぜぇぜぇと息を吐《は》く。気持ちは、痛《いた》いほど分かった。……俺達《おれたち》が真剣《しんけん》に深夏と真冬ちゃん、そして母親のことを悩《なや》んだ時間を返してほしい。

深夏は苦笑《くしょう》した後、「でも」と少しだけ表情を引き締《し》めた。

「実際《じっさい》……相手が去ったからって、元通りとは言えねぇんだ」

「え?」

「だって……母さんの中の空席は、まだ、空席のままなんだからな。あのおじさんがいなくなっても、そうである限《かぎ》り、また同じような問題は起こると思うんだ。だから……」

そこで、俺は深夏の言葉を引き継《つ》ぐ。

「まだ、母親との距離《きょり》のとり方が複雑《ふくざつ》なわけか」

こくりと頷《うなず》く深夏。なんか……色々理解出来た。深夏が嘆息《たんそく》混《ま》じりに話す。

「破局以降《いこう》、真冬が碧陽《へきよう》に上がったのを機に、あたしと真冬はまた母さんと生活するようになったんだ。だけど……母さんはちょっと必要以上にあたしに気を遣《つか》っているとこあって、なんだか……な。真冬は、ちゃんとうまくやっているんだけどさ。それだけが、あたしの救いかな」

『………』

その言葉で、またメンバーがしゅんとしてしまう。

こういうのは……ホント、難《むずか》しい。誰《だれ》かが何かをして、スッキリ解決とはいかない問題だ。話を切り替《か》えようとしたのか、深夏が「そうそう」と付け足す。

「あたしの少年漫画《まんが》熱《ねつ》も、その辺が理由だな」

「？　どういうことだ？」

「勝手な話だとは思うんだけどな。母さんが破局した時、ほっとしたと同時に、相手に失望した部分もあって。色々複雑で、男っていう生き物がよく分からなくなってさ。でも、真冬を『それ』から守るには、相手をある程度《ていど》知らなきゃいけないと思った。だから……」

「少年漫画を読んだと？」

「笑ってくれていいんだぜ。結果的には『創作《そうさく》は創作』と思っただけだし、それどころか物語……努力で大切なモノを守るという物語に共感し、ハマっちまっただけだからな」

「そっか……」

やっぱりこいつは、俺の先を行っていたヤツなんだと思った。エロゲにハマるか、漫画にハマるかの違いはあったようだが。

すっかり静まり返ってしまっていると、再《ふたた》び、ガラガラと戸が開いた。真冬ちゃんだ。

どうやら、面談が終わったらしい。

深夏がさっと目配せする。さっきの話は真冬ちゃんには内緒《ないしょ》だということだろう。そんなことは言われるまでもない。

俺達は、即座《そくざ》に態度《たいど》を切り替えた。笑顔《えがお》で、真冬ちゃんを迎《むか》える。

「お疲《つか》れ様、真冬ちゃん」

「はい。やっぱり、親と先生が話すのは、緊張《きんちょう》しちゃいますね〜」

笑いながら着席する真冬ちゃん。そのまま、話を続ける。

「特に、自分が教室から出た後にも二人で話しているのとか見ると、なんだかとても気になります」

「あー、分かるな、それ」

「きっと二人で、テ○プリについて激論《げきろん》したりしてるんですよ」

「それは無いと思うけど」

皆《みんな》が笑う。真冬ちゃんが帰ってきて、生徒会の空気が本当に穏《おだ》やかになった気がした。やっぱり、椎名姉妹《しまい》が揃《そろ》ってこそだなと、改めて感じる。

ホッとしたのか、深夏が、「じゃああたし、ちょっと飲み物でも買ってくるわ」と、笑顔で席をはずす。

――一時的に深夏が部屋から出て行ったところで、俺達は、改めていつもの雑談《ざつだん》に戻《もど》ろうと

「真冬、本当は、お姉ちゃんとお母さん、そしておじさんのこと、全部知っているんです」

『――――』

真冬ちゃんが。

ちょっと苦笑《くしよう》しながら。

唐突《とうとつ》に、そんなことを言った。

全員が絶句《ぜつく》する中、真冬ちゃんは「ごめんなさい」となぜか謝《あやま》る。

「本当は、ちょっと前に面談終わってたんですけど……」

そこで、理解《りかい》する。ああ……聞かれてたのか、さっきの会話。

俺達がしかめっ面《つら》をしてしまったのを見て、真冬ちゃんは、とても慌《あわ》てた。

「あ、で、でも、お姉ちゃんが喋《しやべ》っていたことは、元々、真冬も知っていたんですよ！　だから、皆さんが気にされることは、全然ないです！　はい！」

「えと……」

俺は少し困《こま》り……そして、この話はどうも深夏が帰ってくる前に終わらせた方が良さそうだと、すぐに切り出すことにした。

「つまり、真冬ちゃんは、最初から全部理解していたと？」

「えと……そうですね。お姉ちゃんのおかげで、結局おじさんと真冬が直接《ちょくせつ》会うことはなかったのですけど、お母さんとお姉ちゃんがそのことを話しているのとか、おじさんとお母さんが電話で話しているのとか、聞いたことがあったので……」

そこで、知弦さんが「ちょっと待って」とストップをかける。

「じゃあ……真冬ちゃんは、全部の事情《じじよう》を最初から知っていたのよね？」

「はい」

「なのに……なのに、深夏の言葉を素直《すなお》に鵜呑《うの》みにして、男嫌《ぎら》いになったの？」

「はい」

真冬ちゃんは、まるで詰《つ》まることなく、ハッキリと答える。

そして……満面の笑みで、告げた。

「だって……お姉ちゃんは、世界で一番真冬のことを考えてくれている……愛してくれている人です。そんな人の言葉を、どうして疑《うたが》うことなんて出来るでしょう。たとえ……そう、たとえ、世間一般《いっぱん》の常識《じょうしき》と、それが食い違《ちが》っていることが分かっていても。真冬は、世間なんかより、お姉ちゃんの教えを信じます。それが、真冬を全力で愛してくれているお姉ちゃんに報《むく》いることだと、思いましたから」

『…………』

正直。

参った、と思った。

ああ……完敗だ、と。勝ち負けの問題ではないと思うのだが……それでも。

知弦さんと会長も、その、椎名姉妹のお互《たが》いを想《おも》うあまりの愛情に、圧倒《あっとう》されているようだ。

真冬ちゃんは、一人、キョトンとしている。多分、それが特別なことだなんて思ってないのだろう。

俺は……既《すで》に答えがほぼ分かっていながらも、訊《たず》ねる。

「真冬ちゃんは……その、全部知っていて、それでも、お母さんとうまくやれているんだよね？　それは、どうして？」

「え？　そんなの、当然じゃないですか。こんなに皆に守られている真冬がお返し出来ることがあるとしたら、それは、家族の架《か》け橋になることだけですから。お姉ちゃんが引いてしまった悲しい線をまたいで、二人を繋《つな》げるのが、真冬の役割《やくわり》です」

「……そう」

「えへん。最近じゃ真冬だって、ちゃんと『男』を知っているのです！　ボーイズラブで、男性《だんせい》についての濃密《のうみつ》な勉強をしているのですから」

「いや……それはなんか違う気がするけど。そういえば、今更《いまさら》だけど、俺とは親しくなってよかったのか？　深夏の教えを守るって言うのなら、俺とさえ本来なら……」

そう言いながら、去年の冬休みに、公園で倒《たお》れた自分を真冬ちゃんが介抱《かいほう》してくれた時のことを思い出す。

勉強やバイトやエロゲや鍛錬《たんれん》を体調無視《むし》で強行し続けていた俺が、遂《つい》に体力尽《つ》きて、公園で倒れてしまった時のこと。丁度傍《ちょうどそば》を通りかかった真冬ちゃんが、俺を助けてくれた。

男性を心の底から「怖《こわ》いもの」だと思いこんでいたのに。この子は、それでも、俺を助けようとしてくれたのだ。それを見て俺は、改めて、「こういう女の子をちゃんと守れる男になってやる」と決意した。……去年の冬で、一番温かかった出来事。

俺の質問《しつもん》に、真冬ちゃんは「ええと……」と困った表情をする。

「本当なら、男性全般《ぜんぱん》ちょっと避《さ》けるところなんですが……」

「じゃあ……」

「でも、杉崎先輩《せんぱい》はいいんですよ。だって……杉崎先輩のことは、お姉ちゃんも、大好きみたいですから♪」

「っ」

「真冬が仲良くなっても、ぜーんぜん問題ないのです。れーがいです、れーがい」

「そ、そう」

「はい」

……やべぇ。なんか、すげぇ照れてしまった。真冬ちゃん……無邪気《むじゃき》だから、こういう好意を本当に素直《すなお》に口にする。本来なら調子に乗って浮《う》かれるところだけど、ここまで純《じゅん》粋《すい》だと、もう、正直に照れるしか、反応《はんのう》のしようがない。

真冬ちゃんは、微笑《ほほえ》んだまま、なんでもないことのように言う。

「真冬は、いつだってお姉ちゃんの味方なんです。お姉ちゃんが白と言えば、黒でも、白でいいんです。それが……多分、こんな弱い真冬が果たせる、唯一《ゆいいっ》の、役割なんですよ」

「…………」

なんて強い子なんだろう。

深夏……。お前が思ってるほど、真冬ちゃんは、か弱い子じゃないみたいだぞ。そりゃそうだ。お前の妹が……誰よりも強いお前の妹が、そんなに弱いわけ、ないもんな。

真冬ちゃんは、表情を引き締《し》めた。

「えっと、ですから、これからも、真冬だけじゃなくて、お姉ちゃんのこともよろしくお願いします。家ではお姉ちゃんまだちょっと居心地《いごこち》悪そうにしてますけど、ここでのお姉ちゃんは……本当に、いつも楽しそうです。だから……」

真冬ちゃんが一生懸命《けんめい》、自分の気持ちを言葉にしようと頑張《がんば》っている。俺達は……言われなくてもちゃんと彼女の気持ちを汲《く》み取り……そして、ただただ、笑顔《えがお》で、返した。真冬ちゃんも、それを見て、柔《やわ》らかく微笑んだ。

「おーい、鍵！　新作のジュース出てたから、買ってきてやったぞー！」

丁度いいタイミングで、深夏が生徒会室に飛び込んでくる。

俺達は、とても温かい気持ちで、それを——

「ほれ、『ファ〇タ・シュールストレミング味』！」

「買ってくんなよ！」

「ほら、あたしが直々《じきじき》に飲ませてやるよ！」

「わ、バカ、開けるな――――――――――！」

　プシュッという音と悪臭《あくしゅう》と共に、温かい雰囲気《ふんいき》なんて一瞬《いっしゅん》で消し飛びやがりました。

＊

「うぅ……酷《ひど》い目にあった」

　例の液《えき》を直《じか》に浴びた俺《おれ》は、手や顔を念入りに洗《あら》い、男子トイレから出た。

　生徒会室に向けて、夕暮《ゆうぐ》れの廊下《ろうか》をてくてくと歩く。――と、途中《とちゅう》で、私服姿《しふくすがた》の綺麗《きれい》な女性《じょせい》（二十代後半くらい？）を見かけた。何か、キョロキョロと周囲を見渡《みわた》しながら、自信なさげに廊下を歩いている。

「何かお困《こま》りですかな、マドモワゼル」

　美女が困っているとなれば、考える間もなく体が動く俺。気付いた時には、彼女にそう声をかけていた。

　女性が振《ふ》り返り、ばっちりと目が合う。……？　あれ？　美女は美女だけど……ええと、どっかで見かけたことある気がするな。

戸惑《とまど》っている彼女に、俺は、まるでナンパのようなセリフを吐《は》く。

「えと……どこかで会ったことありますか？」

「え？」

女性は、そう問われてマジマジと俺の容姿《ようし》を観察する。そうして……なぜかポッと頬《ほお》を赤らめて、一言。

「運命の出会いかもしれませんね」

「へ？」

流石《さすが》の俺も、この発想の飛躍《ひやく》にはびっくりした。女性は、勝手に続ける。

「ええ、見覚えはないですが、ちょっとビビビとは来てます」

「ビビビですか」

若干《じやつかん》言葉のチョイスが古い。何歳《なんさい》だ、この人。

「そして、貴方《あなた》も私のことを運命だと言うのですね」

「いえ、言ってませんが……」

「…………。分かりました。そこまで言うのなら、私も、決意します」

「いえ、ですから……」

「結婚《けっこん》しましょう」

「はい」

しまった。つい、美女に告白されたから、受けてしまった。すんげぇ怪《あや》しいのに。

俺が「うぉぉぉおお!?」と頭を抱《かか》えていると、彼女は、「ところで、あなた」と、既《すで》に俺を夫と認識《にんしき》した呼《よ》び方で訊《たず》ねてきた。

「生徒会室は、どこにあるのでしょうか？」

「はい？」

俺がキョトンとしていると……彼女は、ようやく、年相応《としそうおう》に落ち着いた様子で、ふわりと微笑んだ。

「申し遅れました。私、椎名香澄《かすみ》と申します。この学校で、生徒会に在籍《ざいせき》しております椎名深夏と椎名真冬の母親です。えと……ご存知《ぞんじ》でしょうか？」

…………。

と、いうわけで。

＊

三分後、生徒会室。

俺と香澄さんは、呆気《あっけ》にとられる皆《みんな》の前で、宣言《せんげん》していた。

二人で、頬を赤らめながら。

「そんなわけで、深夏、真冬ちゃん。今日から、俺をお父さんと呼びなさい」

「二人とも、ごめんね。私……また恋《こい》におちてしまったわ」

おいおい泣く香澄さん。想像《そうぞう》以上に駄目《だめ》な人のようだ。

怖《こわ》いほどに静まり返る生徒会。

一秒、二秒、三秒。

そして。

姉妹《しまい》『二人とも、いい加減《かげん》にしやがれぇ（してぇ）――――――！』

そんなわけで、生徒会室から二人して一瞬《いっしゅん》で放《ほう》り出されてしまいました。

生徒会室前の廊下《ろうか》で、香澄さんと顔を見合わせ……二人、微笑《ほほえ》む。

「ほら言ったでしょう、香澄さん。深夏も真冬ちゃんも、とても元気だって」

「ええ……本当に。あんなに活《い》き活きした二人を見たのは、何年ぶりかしら」

香澄さんはぴしゃりと閉《し》められた生徒会室のドアを、愛《いと》おしそうに見つめる。

俺は軽く肩《かた》を竦《すく》め……「さて」と立ち上がった。

「じゃあ、俺は土下座《どげざ》でもなんでもして、部屋に戻《もど》りますね。香澄さんも、もう満足ですよね？」

「ええ。杉崎君の名案のおかげで、本当に珍《めずら》しい二人が見られたわ」

くすくす笑う香澄さん。俺も香澄さんも……それどころか椎名姉妹も、本気で俺と香澄さんがどうこうなるとは思ってない。ただ、俺を媒介《ばいかい》として、じゃれただけだ。こういう重い問題は、不謹慎《ふきんしん》でも、軽いネタにしてしまった方が救われることもある。

香澄さんは本当に楽しそうにしながら、「でも……」と、俺を見つめて優《やさ》しげに目を細めた。

「貴方だったら……本当に、うちの家族の、二人にとって『無かったはずの場所』に、入ってこられるのかもしれないわね」

「俺の守備範囲《しゅびはんい》は広いんで、ヒロインに立候補《りっこうほ》するなら大歓迎《かんげい》ですよ、香澄さん」

「うふふ。前向きに考えてみるわね」

前向きなんだ。しかし、もし本当にそういうことになったら……なんか、すんごいカオスな家庭環境《かんきょう》になりそうだった。なかなか波瀾万丈《はらんばんじょう》なルートだぞ、これは。

香澄さんはもう一度俺に礼を言うと、そのまま、上機嫌《じょうきげん》な様子で去っていく。

その背中《せなか》を見守り……ああ、やっぱり母親ってのは、なによりも子供《こども》のことで一喜一憂《いちゆう》する存在《そんざい》なんだなぁと、しみじみ感じた。

……久々《ひさびさ》に、実家で母親サービスするのも悪くないかもなと、らしくないことまで考えたりする。

「さぁて、とりあえずは、将来《しょうらい》の娘《むすめ》達の機嫌でもとろうかね」

俺は嘆息《たんそく》混《ま》じりに呟《つぶや》き、生徒会室の戸の前に立った。

私立《しりつ》碧陽学園生徒会。

そこでは、とても強く美しい姉妹が、今日も働いている。

…………。

入室した俺（父）を容赦《ようしゃ》なくぼっこぼこにするぐらい、強い姉妹が。

【えくすとら～企《たくら》む生徒会～】

「人は常《つね》に前を向いて歩くべきなのよ！」

会長がいつものように小さな胸《むね》を張《は》ってなにかの本の受け売りを偉《えら》そうに語っていた。

俺は「ふむ？」と首を傾《かし》げる。

「廊下《ろうか》で躓《つまず》きでもしましたか？」

「そういう意味じゃないよ！　人生的な教訓だよ！」

「別に、たまには振り返ってもいいんじゃないですか？」

「いきなり水差さないでよ！　とにかく、常に前を見よう！」

「まぁ、いいですけど」

このままいじっていても話が前に進みそうにないので、とりあえず引き下がる。

会長は「こほん」と仕切り直した。

「というわけで、今日は『生徒会の一存《いちぞん》』のメディアミックスを考えていこう！」

『…………』

　俺も知弦《ちづる》さんも椎名《しいな》姉妹《しまい》も皆《みんな》、一瞬激《いっしゅんはげ》しくげんなりとした表情《ひょうじょう》を浮《う》かべたものの、抵抗《ていこう》してもしゃあないことは重々承知《しょうち》しているので、とりあえず乗っておく。

「わーい、俺、今日もガンバローー」

「真冬《まふゆ》も、やりますよー」

「あたしが、名案を出してやるぜー」

「アカちゃん、私に任《まか》せておきなさーい」

　全員、全くやる気がない。しかし、会長は「うむうむ」と上機嫌《じょうきげん》に話を進めた。

「執筆《しっぴつ》はこれからだけど、既《すで》に生徒会の本も三冊目《さつめ》を数えるわ！　これはもう、シリーズとして軌道《きどう》に乗ったと見ていいはず！」

「私生活は全く軌道に乗ってねーのにな」

「もう、こうなったら本の方は手抜《てぬ》きでいいわ、手抜きで！　その代わり、メディアミックスに力を入れていきましょう！　アニメ化さえすれば、どんな内容《ないよう》でも売れるのよ！」

「完全に魂《たましい》が腐《くさ》り始めてますね」

「商売とはそういうものよ！　売れたもん勝ちの世の中なのよ！」

「その精神《せいしん》が、なにか、大事なところで既《すで》に負けているような気がするわね」

「とにかく、アニメ化を始め、これからはドンドン商業進出するよー！」

ハーレムメンバーの全くやる気のない様子にも気付かず、会長は勝手に話を進めていく。

……皆もう知っているのだ。この会長は、さくっと突《つ》っ走らせて、さくっとゴールまで導《みちび》いちゃうのが一番楽な扱《あつか》い方だと。

とりあえず、俺は嘆息《たんそく》しながらも、相槌《あいづち》を打つ。

「メディアミックスはいいですけど……でも、生徒会ですよ？　小説媒体《ばいたい》以外で、そんなにやれることなんて……」

「お金を稼《かせ》ぐには、もう小説だけじゃ生温《なまぬる》いのよ！」

「ええー」

またこの人は……。げんなりしていると、会長は「とにかくっ」と続ける。

「今日は、他《ほか》にどんなジャンルに手を伸《の》ばしていくべきか、議論《ぎろん》しようと思うの！」

「ひっそり静かに、淫《みだ》らに暮《く》らすという選択肢《せんたくし》は……」

「無い！」

ああ、俺のささやかな幸せ構想《こうそう》が。深夏が、「『淫ら』さえ無かったら、あたしも応援《おうえん》出来たんだがな」と、残念そうな目で俺を見ていた。……やめろよ、その目。

会長が「じゃ、意見ある人ー！」と張《は》り切って会議を開始したので、俺達は顔を見合わせて、とりあえず参加しておくことにする。

まず、俺から意見を言わせて貰《もら》うことにした。

「静かに暮らしたいというのが一番ですが……。一つだけなら、俺も乗り気のメディアミックスがありますよ、会長」

「なになに、杉崎《すぎさき》」

「アダルトビデ――」

「他に意見ある人ー！」

無視《むし》されてしまった。しかし俺は、めげずに続ける。

「大丈夫《だいじょうぶ》です、会長。このハーレムの主で独占欲《どくせんよく》の塊《かたまり》たる杉崎鍵《けん》、自分の女達の裸体《らたい》を他人に見せる気は毛頭ありません。ただ、私的《してき》に楽しむためだけに、ビデオを撮《と》ろうという提案《ていあん》です。……安心でしょう？」

「最早《もはや》商業にさえなってないじゃない！　ただ、杉崎の欲求を満たすだけじゃない！」

「そうして、ひっそりと淫らに暮らしましょうよ、会長」

「なんか杉崎にとってのハッピーエンドは、常に私達にとってのバッドエンドなのよ！」

会長のみならず、全員からトゲのある視線《しせん》が突き刺《さ》さったので、俺はすごすごと引き下がる。……いいのになぁ、私的アダルトビデオ。欲《ほ》しいなぁ。

会長が「ほら、まともなアイデアないの？」と椎名姉妹《しまい》や知弦さんに意見を求める。

すると、深夏《みなつ》が「そうだな……」と会議に参加してきた。

「アニメ化するんだったら、テレビ映《ば》えするよう、原作と内容《ないよう》変えようぜ」

「例えば？」

「そうだなぁ……」

深夏はそう呟《つぶや》くと、宙《ちゅう》を眺《なが》めるようにして、その構想《こうそう》を語り始めた。

碧陽《へきよう》学園生徒会。そこの選抜基準《せんばつきじゅん》は、少々変わっている。

毎年春に行われる『碧陽学園バトルトーナメント』。それを勝ち抜《ぬ》き最後まで生き残った優勝者《ゆうしょうしゃ》が生徒会長となり、会長が指名した人間達が、それを取り巻《ま》く役員となる。

会長になった者には圧倒《あっとう》的な権限《けんげん》が与《あた》えられ、後の一年間、至福《しふく》の学園生活を約束される。

金も、富《とみ》も、名誉《めいよ》も、その全《すべ》てが『会長』という役職《やくしょく》には与えられるのだ。

そんな碧陽学園に、今年、期待のルーキーが入学してきた。そう、彼女こそこの物語の主人公、椎名深夏である。

「真冬……お姉ちゃんが必ず助けてやるからなっ！」

彼女は、ひきこもりをこじらせて死にかけている妹を助けるため、この学園で会長を目指す。

立ちはだかる、学園のツワモノ達。

一緒《いっしょ》に入学した少年、杉崎鍵。普段《ふだん》は最弱な彼だが、その特殊能力《とくしゅのうりょく》『エロが絡《から》むと戦闘力《せんとうりょく》∞』は全てを圧倒する。

二年の小柄《こがら》少女、桜野《さくらの》くりむ。そのちょこまかとした動きは対戦相手に追う気を失わせ、なおかつ、その容姿《ようし》は攻撃《こうげき》することを激《はげ》しく躊躇《ためら》わせる。最強の防御《ぼうぎょ》能力を持つ少女。

同じく二年の紅葉《あかば》知弦。何をしても見透《みす》かされている気がしてしまう視線《しせん》。一度恨《うら》みを買うと、一生幸せになれない気がするオーラ。間違《まちが》いなく最強の一人である。

そして……立ちはだかる最強の敵《てき》、三年の真儀瑠《まぎる》紗鳥《さとり》。彼女の強さの秘密《ひみつ》は、過去《かこ》、他の作品に登場したことによるチート『強くてニューゲーム』である。最初からレベル99の彼女に勝つ手段《しゅだん》は、果たしてあるのか！

今、椎名深夏の孤独《こどく》な戦いが幕《まく》を開ける！

新番組『生徒会の一撃《いちげき》〜碧陽学園バトルトーナメント〜』は、毎週日曜朝五時から！

あたしの拳《こぶし》が、真っ赤に燃《も》えるぜぇっ！

「ってな感じで、どうだろう」

「もう、完全に原作の面影《おもかげ》が無いじゃない！　あと、なぜ朝五時⁉」

「裏《うら》番組がまったり風味のところで、刺激《しげき》的な内容《ないよう》をやるからいいんだ！」

「誰《だれ》が見るのよ！」

「今はハードディスクレコーダーの時代だから、大丈夫だ。大きいお友達は、確実《かくじつ》に毎週予約録画《ろくが》してくれるさ！」

「日曜朝のくせに、大きいお友達狙《ねら》いなんだ！」

「うん、美少女同士が戦うとなれば、服も相応《そうおう》に破《やぶ》けるしな」

「乗った！」

「杉崎は黙《だま》ってて！　とにかく、却下《きやつか》よ！」

『えー』

俺《おれ》と深夏はガックリと肩《かた》を落とす。

知弦さんが、「意外とメディアミックスにノリノリね、貴方達《あなたたち》……」と、俺と深夏を白い目で見ていた。……すいません。

深夏の意見が却下されたところで、「それでしたら……」と真冬ちゃんが口を開く。

「バトル要素《ようそ》ありきだったら、ゲーム展開《てんかい》もしやすいですよね」

「？　それはどういうこと？　真冬ちゃん」

会長が、お金の匂《にお》いに食いついてしまった。

真冬ちゃんが、人差し指をピンと立てて説明を開始する。

「例えば今の生徒会をゲーム化しようとしても、せいぜいアドベンチャー形式ぐらいしか、すぐに適応《てきおう》出来るモノはありませんよね」

「確《たし》かに……」

「しかし『美少女満載《まんさい》のバトルモノ』となれば話が別です。アドベンチャーは勿論《もちろん》、アクションゲーム、格闘《かくとう》ゲーム、RPG、やりようによってはシューティングまで。なんでもありです。つまり、バトル要素っていうのは、メディアミックスを考える際《さい》にとても扱《あつか》いやすいコンテンツなんですね。それこそ、映像《えいぞう》としても映えますし」

「お、おおー」

真冬ちゃんのとてもためになる解説《かいせつ》に、会長を始め俺達までも感心してしまう。……真冬ちゃん、相変わらず知識《ちしき》の幅《はば》が偏《かたよ》っている子だな……。

真冬ちゃんは得意げに話を続けた。

「ゲーム化っていうのは、とてもいいのですよ。プレイヤーが参加出来る媒体《ばいたい》っていうのは、結構簡単《けっこうかんたん》に感情移入《かんじょういにゅう》を誘《さそ》うことが出来ます。例えば生徒会を題材にRPG形式でゲームを出したとします。この中で、プレイヤーは生徒会メンバーを使って冒険《ぼうけん》を……それこそ、何十時間もするわけです。その間、着々と生徒会メンバーは成長させられ、そして最後は、長い冒険の果てにプレイヤーと一緒にラスボスを倒《たお》すわけです」

「ふむふむ。……それで？」

「分かりませんか？ ここまで長い時間と苦労を共にした相手ですよ。いくら架空《かくう》の存在《そんざい》とはいえ、それなりにキャラに愛着が湧《わ》いてしまうでしょう。つまり……このゲームをクリアする頃《ころ》には、プレイヤーは完全に生徒会の虜《とりこ》！ 他のメディアミックス商品にまで手を出してくれる可能性《かのうせい》、大です！」

「！ なんとっ！」

「というわけで、真冬は、メディアミックスとして『ゲーム化』を激《はげ》しく推奨《すいしょう》します。時代はゲームです！ ゲームこそ、現在《げんざい》一番活気付いているメディアです！」

「むむむ……」

真冬ちゃんの説得力ある説明に、会長は腕《うで》を組んで唸《うな》り始めてしまっていた。……このままじゃゲーム化するな、これ。別にいいんだけど、流石《さすが》に創作《そうさく》だらけのバトルモノは勘《かん》弁《べん》願いたい。

知弦さんもそう考えたのか、真冬ちゃんの意見に対抗《たいこう》するように「私もいいかしら」と切り出した。

「アニメ化、漫画化《まんが》、ゲーム化、それらも結構だけど。もっと他《ほか》にもやれることは、沢山《たくさん》残っているのじゃないかしら」

「知弦、なにかいいアイデアあるの？」

「ええ。例えば、フィギュアとかね。既《すで》に私達のイラストはあるわけだし、それほどハードルの高いものじゃないわ。売れれば、収益《しゅうえき》も大きいはずだし」

「なるほど……杉崎みたいな人には絶対《ぜったい》に売れるわね」

「少なくとも俺は『保存《ほぞん》用』『観賞用』『ご使用』の三つは買いますからね！」

「『ご使用』ってなに⁉　やめてよ！」

知弦さんが、こほんと咳払《せきばら》い。

「他には……そうね。アニメ化に近いけど、映画《えいが》化っていう手もあるわね。アニメの場合はDVD化とかしなきゃ収益が少ないけど、映画の場合、直接《ちょくせつ》お金動くしね。この生徒会室のみで喋《しゃべ》っているだけという構成なら、制作費《せいさくひ》もかなり抑《おさ》えられるし、いいんじゃないかしら」

「お金！　それはすぐ取り掛《か》かろう！　生徒会室をビデオで撮影《さつえい》するだけで出来ちゃうもんね！　名付けてブレア○ィッチ作戦！」

……いつから会長は、こんな金の亡者《もうじゃ》になってしまったのだろう。印税《いんぜい》の魔力《まりょく》、恐《おそ》ろしや……。

「他にも……CDとか出すのも面白《おもしろ》いかもね。キャラクターソングって言うのかしら。元の媒体《ばいたい》に人気があってこそだけど、ああいうのも売れるわよ」

「それは新しい発想ね！　ちょっと考えてみましょうか」

というわけで、早速《さっそく》、キャラクターソングを考えることになった。

既にすっごく乗り気の会長が、勝手に俺達に歌を割《わ》り当てていく。


桜野くりむキャラクターソング「絶対会長宣言《せんげん》！」

杉崎鍵キャラクターソング「ハーレム崩壊《ほうかい》ラプソディ」

紅葉知弦キャラクターソング「地下室」

椎名真冬キャラクターソング「ＨＡＩＪＩＮ」

椎名深夏キャラクターソング「熱血太郎」


「どう！　完璧《かんぺき》じゃない、これ！」

会長が自信満々に胸《むね》を張《は》っている。しかし俺達は、一斉《いっせい》に反論《はんろん》した！

「なんでハーレム崩壊してるんですかっ！　崩壊入れなくていいでしょう！」

「私って、アカちゃんの中でどんなイメージなのよ……」

「真冬のはどういう意味ですかっ！　ローマ字にしても誤魔化《ごまか》せてないですよ！」

「あたしのに至《いた》ってはもう手抜《てぬ》きだよなぁ！　絶対！」

全員から散々反論を受け、会長は「わ、分かった、分かったよぅ！」とすぐに折れた。

皆《みんな》が落ち着いたところで、「でも……」と付け足す。

「キャラクターソング自体はいい案よね。作詞《さくし》作曲は別として、歌うだけなら、誰でも出来るし！　ゲーム作るとかよりは、専門技術《せんもんぎじゅつ》なくていいもんね」

「そうね。それは言えてるわ」

「そうだ！　こうなったら、校歌とか作って発売しちゃおうか！」

「校歌？　元々学園にあるもの？」

「違《ちが》う違う！　自分達で作るのよ！」

会長はそう告げると、懲《こ》りもせず、今度は勝手に作詞まで始めてしまった。

碧陽学園校歌（生徒会オリジナル）

我《われ》らの会長　テラかわゆす

きらりと光る　その笑顔《えがお》
清く明るい彼女こそ
我らのしるべ、絶対神なり
ぽてぽて歩き　今日も往《ゆ》く
会長万歳《ばんざい》　碧陽学園～♪

「うん、早速今日からこっちに差し替《か》えよう、校歌」

「校歌じゃなくて、『会長歌』じゃないですかっ！　最後に思い出したように『碧陽学園』って入れてるだけで！」

当然、こんな校歌はお蔵《くら》入りして貰《もら》う事に会長以外満場一致《いっち》で決定。しかし会長は「いつかCD出すもん……」と涙目《なみだめ》で、歌詞を書いたメモ用紙を大事そうに備《そな》え付けの棚《たな》にせっせとしまっていた。……もう一生取り出すことはなさそうだな、あれ。

「まあ、私から提案《ていあん》できるメディアミックスはそれぐらいかしら」

知弦さんがそう締《し》めて、とりあえず、全員からの意見が出揃《でそろ》う。

会長は「ふぅむ」と腕《うで》を組んで唸《うな》っていた。

「どうしようかなぁ……。今日の会議は、珍《めずら》しく、全部結構《けっこう》いいアイデアだった気がするわ……」

　それはそうかもしれない。確《たし》かに。暴走《ぼうそう》していたくせに、いつもよりそれなりに皆現実《げんじつ》的なアイデアを出した気がする。

　会長は散々悩《なや》んだ末、結論《けつろん》を出す。

「基本《きほん》的には全部やろう！」

『………』

　その瞬間《しゅんかん》、全員の表情《ひょうじょう》が「しまった」と言うように歪《ゆが》んだ。なまじ優秀《ゆうしゅう》な意見を出してしまったために、会長の暴走に拍車《はくしゃ》がかかってしまった。これはいけない。

　俺達は、慌《あわ》てて事態《じたい》の収拾《しゅうしゅう》にとりかかる。

「か、会長！」

「なによ、杉崎」

「アダルトビデオもや——」

「前言撤回《てっかい》。杉崎の以外、全部やる」

「そんな！　じゃあ、俺からも改めて案出させて下さいよ！　それぐらい、いいでしょう！」

「………。仕方ないわね」

会長はムスッとしながらも俺の提案を受け入れてくれた。……よし。若干《じゃっかん》、話を逸《そ》らすことに成功した。

ここから更《さら》に軌道修正《きどうしゅうせい》に軌道修正を加え、最終的には「メディアミックスやっぱりやめる！」というオチに持っていきたいところだ。

知弦さんと椎名姉妹《しまい》が視線《しせん》で「頑張《がんば》れ！」と応援《おうえん》してくれている。

俺は、少々考え、とりあえずテキトーなアイデアを絞《しぼ》り出してみた。

「週刊化《しゅうかんか》とか……」

「それ、本当にやりたいの？　作業量が尋常《じんじょう》じゃないわよ」

「な、なんでもないです。それではですね……。……うーん……」

「杉崎、本当は別にやりたいこと無いんじゃない？」

ぎくり。

「そ、そんなことないですよ！　やりたいこと沢山《たくさん》、夢一杯《ゆめいっぱい》！」

「邪《よこしま》な夢ばっかりでしょう……」

「爽《さわ》やかなアダルトビデオなら可《か》ですか？」

「なによ、爽やかなアダルトビデオって！」

「少女マンガチックに、もわもわーんという感じでやるんです」

「それは誰向けなのよ、一体！」

「む！　閃《ひらめ》いた！　百合《ゆり》ならOKですよね!?」

「なに名案みたいに言ってるのよ！　アダルトな時点でNGなのよ、皆《みんな》！」

「私はちょっと心揺《ゆ》れたけど……アカちゃん……じゅるり」

「知弦は黙《だま》ってて！　とにかく、百合でも駄目《だめ》！」

「BLなら可ですか？」

「真冬ちゃんまで何言い出してるの!?」

なぜか知弦さんや真冬ちゃんが支援《しえん》してくれた。深夏が「今更《いまさら》だが、変態《へんたい》ばかりだなこの生徒会……」と頭痛そうに呻《うめ》いていた。

会長が「とにかく絶対《ぜったい》駄目ぇー！」と顔を真っ赤にしているので、仕方なく俺《おれ》も他の方《ほう》向性《こうせい》を探《さぐ》ることにする。

「アダルト要素《ようそ》が駄目となると……俺の夢の九割方削《わりがたけず》られますね」

「そんな生徒会副会長ってどうなのよ！」

「じゃあ、ううん……そうですね。折れに折れてのメディアミックス案として、ラジオ化ぐらいだったら、考えてもいいですよ」

「ラジオ化？　あ、ラジオドラマ化？」

「どっちでもいいです。ラジオにしろラジオドラマ化にしろ、実際《じっさい》、前みたいにこの生徒会室に録音《ろくおん》機器置くだけで出来ちゃうじゃないですか。だから、楽かなーと」

「うむ……。確かに以前ラジオやった時は面白《おもしろ》かったわね。ああいう感じ？」

「いえ、あれよりもっと緩《ゆる》く、です。あれは、それこそラジオ番組っぽく喋《しゃべ》ったじゃないですか。そうじゃなくて、本当に、ただただこの会議の模様《もよう》を録音して流すだけっていう企画《きかく》です。今言っているのは」

「それは……確かに楽ね。びっくりするほど、楽ね」

会長のみならず、他生徒会メンバーまで「それは楽だ（です）……」と、全員頷《うなず》く。

全員の賛同《さんどう》が得られているようなので、俺は「それなら……」と切り出した。

「ちょっと、録音しながら喋ってみません？　あ、知弦さん、ＩＣレコーダーは……」

「もう動いているわよ。執筆《しっぴつ》用のだけど」

「じゃ、ここからの会話は、ラジオ用です。……スタート！」

というわけで、「自然な会議でラジオ媒体《ばいたい》」になるとどうなるのか、試《ため》してみることにした。

＊

会長『あら、私のスラリと長い足に糸クズが』
杉崎『会長、俺がとってあげますよ。……おっと、紳士《しんし》的に、ね』
知弦『駄目よキー君。アカちゃんのお世話は、いつも私がね？』
深夏『うふふ……皆さん、もっと優雅《ゆうが》に振《ふ》る舞《ま》いなさいませ』
真冬『あ、真冬、これから柔道《じゅうどう》部の助《すけ》っ人《と》なんですよ！　行ってきます！』

＊

「……皆、意識《いしき》しまくりね、レコーダー……」

会長の呟《つぶや》きに、全員押《お》し黙《だま》る。しばしの沈黙《ちんもく》の後、俺は汗《あせ》をかきながら口を開いた。

「っつうか、深夏、意外とああいうキャラが理想なのか……」

「うっ！　べ、別に、お嬢様《じょうさま》に憧《あこが》れてたりなんかしねぇよ！　しねぇかんなっ！」

お嬢様になってみたいらしい。……可愛《かわい》いヤツめ。

様子を見守っていた知弦さんが深く嘆息《たんそく》する。

「でも、この様子じゃ『自然な会議でラジオ媒体』をするのにも、ちょっと時間が必要みたいね……」

「ですね」

さて、どうしたものか。俺が悩《なや》んでいると、会長がぽつりと呟いた。

「じゃあ、杉崎の提案《ていあん》は結局無しということで――」

「ちょ、ちょっと待って下さい！　まだ他《ほか》にも可能性《かのうせい》はあるはずです！」

「なんか、ちょっと熱い話っぽいセリフね」

「諦《あきら》めるのはまだ早いですよ、会長！　俺は……俺はまだやれる！」

「それなら、さっさとアイデアを言ってよ！」

俺はそこで一瞬《いっしゅん》詰まり……しかし、一つ思いついたことがあって、顔を上げる。

「そもそも、『メディアミックス』とか言いつつ、最近の『メディアミックス』は、結局同じようなことばっかりやってるんですよ」

「え？　どういうこと？」

「それこそ、結局は小説化、漫画《まんが》化、アニメ化、ゲーム化。それぐらいの範囲《はんい》で収《おさ》まっていて、何がミックスですか。そんなもの、最早《もはや》ミックスでもなんでもない！　そんなのは……そんなのはっ！」

「そんなのは？」

「………………まあ、特に思いつかないですが」

「じゃあ言わなくていいよ！」

「とにかくっ！　俺達生徒会は、常《つね》に新しい道を模索《もさく》するべきです！　それでこそ、碧陽学園生徒会じゃないんですかっ！」

「杉崎っ！　そうね、私、間違《まちが》ってたわ！　ありきたりじゃないことやってこその、私達よね！」

「ええ、そうです」

よし、いい感じに話に食いついてきた。もう一息だ。

「じゃあ、杉崎。当然、新しいメディアミックスのアイデアはあるわけよね？」

「……………………………………………………ええ、勿論《もちろん》！」

「今たっぷり考えてたよねぇ！」

「いつ考えようと勝手じゃないですかっ！　優秀《ゆうしゅう》なアイデア出せばいいんでしょう！」

「自分でハードル上げまくってるわ！　じゃあ、お聞かせ願いましょうかっ」

「いいでしょう！………………………………行きますよ！」

「今また考えてたよねぇ！」

俺はこほんと咳払《せきばら》いし、仕切り直す。

「例えば……そうですね。スナック菓子《がし》業界に殴《なぐ》りこみ、ってのはどうでしょう！」

「なんで!?　なんでスナック菓子なの!?」

「それです！　今足りないのは、その『なんで!?』っていうメディアミックスです！」

「ぐ……な、なるほど。で、具体的にはどういうことなの？」

「『碧陽学園チップス』とか出したら面白《おもしろ》いんじゃないでしょうか。カード付きの。収《しゅう》集欲《しゅうよく》に火をつけて、一大ブームを巻《ま》き起こします！」

「収集も何も、役員だけカードにしても五枚《まい》しかないじゃない！」

「いえ、碧陽学園の教師と生徒全員カードにします。役員はレアカード」

「誰が買うのよ、そのチップス！　私達のカードならまだしも、他の殆《ほとん》どが一般人《いっぱんじん》じゃない！　誰も知らないじゃない！」

「それがいいんですよ、むしろ！　大量の、一般生徒カード。これにより、収集者のデッキそれぞれに違いが出てくるのです！　自分しか愛《め》でてない、マイフェイバリット一般生徒を探《さが》せ！　という感じの楽しみが出来るわけです！」

「随分《ずいぶん》とマニアックな遊びねぇ！」

「しかもこの企画《きかく》の優秀なところは、毎年新入生が入ってくるため、新カードに事欠かないことです。長く続けば、それこそ膨大《ぼうだい》なカード数となり、デッキの組み合わせは無限《むげん》大《だい》！　四十枚ワンセットで、自分だけの碧陽学園混合《こんごう》クラスを作れ！」

「！　な、なんかちょっと面白そうだわ！」

「あと、子供《こども》受けするように、ゲームセンターにもマシンを置きます。ワンゲーム百円で、プレイ後に一枚カードを貰《もら》えます」

「ああっ、どんどん商売の匂《にお》いがしてきたわね！」

「学校でも話題になること必至《ひっし》！『俺のクラスは、こいつ入れてんだぜー』『一般生徒ナンバー９の吉永《よしなが》さんが出ないー。誰かトレードしてー』みたいな！」

「夢《ゆめ》のような光景ね！　碧陽学園が世界進出！」

「更《さら》に更にこういうブームが起こったとなれば、碧陽学園の人気もうなぎのぼり！　自分もカードになりたいという入学希望者が殺到《さっとう》し、果ては日本で一番倍率《ばいりつ》の高い難関《なんかん》高校に！　そうなれば、既《すで》に在校生《ざいこうせい》の俺達にも多大なメリットが！」

「！　なんですってぇ！」

「資金《しきん》も潤《うるお》うわ、学園も発展《はってん》するわ、俺達の知名度も上がるわで、一石何鳥になるか分かったもんじゃないです！　スナック菓子化というメディアミックス……完璧《かんぺき》じゃないですかっ！」

「悔《くや》しいけど、確《たし》かに優秀な意見だわ！　あんな短時間での発想なのに！」

　他の生徒会メンバーも、俺に向かって『おおー』と拍手《はくしゅ》してくれていた。ふふ、俺だって、やるときゃやるのさ。

ここで、更に畳《たた》み込《こ》む。

「他《ほか》にだって、色々あるはずです。新しいメディアミックス」

「聞こうじゃない」

「『生徒会ブランド』の立ち上げです。最終目標は、エル○スやグ○チと並《なら》ぶ一大ブランドになることです」

「なんで⁉ なんでブランド⁉」

「いえ、特に理由はないですが、その意外性《いがいせい》がいいんです。バッグや財布《さいふ》から、電化製品《せいひん》まで扱《あつか》います」

「電化製品も⁉」

「ええ。ブルーレイの後の次世代映像《えいぞう》記録媒体《ばいたい》の開発にも着手します」

「もう完全に高校生の出しゃばる領分《りょうぶん》じゃない気がするわ！」

「何を言うのですかっ！ メディアミックスをやるなら、それこそ、世界をも掌握《しょうあく》するつもりでやらないといけないですよ！」

「そ、そこまで覚悟《かくご》が必要なことなの、メディアミックスって！」

「ブランドイメージを高めて、『生徒会印がついていれば安心』と庶民《しょみん》に認知《にんち》させるレベルまで持っていきますよ」

「凄《すご》いわね、生徒会！」

「会長お手製の『うさぎさんお財布』。知弦さんデザインの革《かわ》製品。深夏プロデュースのエクササイズマシーンに、真冬ちゃん指揮《しき》下《か》の次世代ゲーム機開発まで！」

「なんで私だけ関《かか》わっている分野がすんごく狭《せま》いの⁉」

「とにかく、手広くやりますよ！　ちなみに俺は、アダルト商品部門で活躍《かつやく》します」

「その部門の存在《そんざい》が激《はげ》しくブランドイメージを損《そこ》なっている気がするよ！」

「小説内で着る衣装《いしょう》や小物も自ブランド製品で統一《とういつ》すれば、相乗効果《こうか》も望めます！」

「ああ、また生臭《なまぐさ》い話になり始めたわね！」

「だから、メインターゲットは中高生です。『ちょっと奮発《ふんぱつ》すればお小遣《こづか》いで買える値段《ねだん》』で、勝負していきます！　まあ、『うさぎさんお財布』は投げ売りですが」

「私、完全に戦力外だよねぇ！　窓際族《まどぎわ》だよねぇ！」

「大丈夫《だいじょうぶ》です。会長は、社長ですから。会議は俺達重役でやりますけど」

「完全に傀儡《かいらい》だよねぇ、私！」

「これは凄い企画だなぁ……生徒会ブランド」

「私個人《こじん》としてはイヤだけどね！」

むむ。会長の反発にあってしまった。

仕方ないので、他のメディアミックスも提案《ていあん》しておく。

「じゃあ……そうですね。ちょっと庶民視点《してん》に戻《もど》って、碧陽学園からお笑い芸人を輩出《はいしゅつ》するというのはいかがでしょう？」

「お、お笑いとのメディアミックス？」

「そうです。うちから出たお笑いユニット『せーとかい』が碧陽学園ネタで大爆笑《ばくしょう》をとり、それを見て学園のことを知りたくなった人が、小説の方も買ってくれるっていう算段です」

「それは……微妙《びみょう》ね。なんか、お互《たが》いがうまく嚙《か》み合ってないわ」

「そんなことないです、『せーとかい』は、会長と俺による夫婦漫才《めおとまんざい》ですから」

「そうなの⁉ じゃあ余計《よけい》にやだよ！ この場で却下《きゃっか》させてもらうよ！」

「やー、今年も寒くなってきましたけれど。寒いと言えばあれだね。おでん」

「なんで漫才始めてんのよ！ やんないよ、私は！」

「こら、ツンデレもいい加減《かげん》にしなさい！（ぺしっ）」

「ツッコミ⁉ 杉崎がツッコミだったの⁉」

「ワイがボケなわけないやないかいっ！（ぺしっ）」

「私一切《いっさい》ボケてないよ！ ツッコマれる理由が分からないよ！（ぺしぺしっ）」

「なわけあるかいっ（ぺしっ）」

「た、叩《たた》くのやめてよぅ（ぺしぺしっ！）」

「こらこら、ボケがツッコマれるのを拒否《きよひ》するってどういうことやねん（ぺしっ）」

「う……うわぁん！　私、悪くないもーん！（ぽかぽかぽか）」

「……ごめんよ、ハニー。ちょっと調子に乗ってしまったよ（なでなで）」

「うぅ……（えぐえぐ）」

「（なでなで）」

「（えぐえぐ）」

そんな俺達《おれたち》の様子を見ていた真冬ちゃんが、興奮《こうふん》したように叫《さけ》んだ！

「凄《すご》い！　確《たし》かに新世代の夫婦漫才です！　ツッコミとツッコミという新形態《しんけいたい》！　そして、最後はただイチャついているだけという意味の分からなさ！　これは……いけるかもしれませんん！」

「いけねぇだろ！　どう見ても駄目《だめ》だろ、アレは！」

深夏がツッコンでいた。……椎名姉妹でコンビ組ませた方がうまくいくかもしれない。

そうこうしているうちに会長はすっかり泣きやみ、代わりに、俺に恨《うら》みの籠《こも》った視線をぶつけてきた。

「きゃ……却下！」

「ですよね……」

俺も特に食い下がることなく引き下がる。いけるとは最初から思っていない。

「他のメディアミックスと言えば……」

「ま、まだあるの？」

げんなりした様子で訊《たず》ねてくる会長。俺は「当然です」と胸《むね》を張《は》る。

「まだまだありますよ、やれることは。……製薬《せいやく》会社とか」

「もう完全に生徒会と関係ない業界だよねぇ！」

「頭痛《ずつう》薬を開発して売ります。……とあるちびっこ会長のおかげで日々頭痛ばかりの生徒会役員が監修《かんしゅう》する頭痛薬……。効《き》き目抜群《ばつぐん》なハズです！」

「そんな経緯《けいい》で売れてもフクザツだよ！」

「ソフトウェア会社もいいですね。マイクロソ〇トか生徒会ソフトかっていう」

「絶対《ぜったい》マ〇クロソフトだよ！」

「生徒会ソフト制作《せいさく》OS『さやえんどうず』は、念じるだけで動くという画期的インターフェースを搭載《とうさい》しています」

「凄いけど、絶対私達が開発出来るものじゃないよ！」

「更《さら》に、脳内《のうない》に描《えが》いた妄想《もうそう》を映像《えいぞう》出力してくれる機能《きのう》まで！」

「それで私的《してき》ＡＶ作る気でしょう！　とにかくその方向性《ほうこうせい》なし！」

「じゃあ、マラソンランナーとタイアップして、その体中に生徒会の小説を執筆《しっぴつ》、マラソンを見ながら小説も読めるという……」

「耳なし芳一《ほういち》みたいだよ！　怖いよ！」

「む。どうも、メディアミックスというものから離《はな》れている気がします」

「今頃《いまごろ》気付いたの⁉」

「原点に戻《もど》って。他の媒体《ばいたい》で他の物語をやるということを考えると……。ぽた○た焼きの『おばあちゃんの知恵袋《ちえぶくろ》』的なポジションで、生徒会役員の日常《にちじょう》を描《えが》いてみますか」

「だから、なんでそんなところに書くの⁉」

「メディアミックス……夢《ゆめ》が広がるなぁ」

「広がってないよ！　疲《つか》れただけだよ！」

そう言って、会長がぐったりと机《つくえ》に突《つ》っ伏《ぷ》す。そうして、数秒間無言で休憩《きゅうけい》し……そして、吐息《といき》交《ま》じりに小さく口を開いた。

「もうメディアミックス……やだ。疲れる。……よって、しばし保留《ほりゅう》」

『（よし！）』

全員、机の下でグッと拳《こぶし》を握《にぎ》る！　作戦通り！

会長がすっかり休憩してしまっている脇《わき》で、俺達はアイコンタクトを交《か》わした。

（キー君。よくやったわ。貴方《あなた》にはもう、アカちゃん検定《けんてい》二級をあげてもいいわね）

（鍵、あたしはお前を見直したぜ！）

（ありがとうございました、先輩《せんぱい》！　これで、変な活動しなくてすみます！）

（皆《みんな》のおかげさ。それに……執筆《しっぴつ》活動だけでこちとら手《て》一杯《いっぱい》なんだ。これ以上作業増《ふ》やされてたまりますか）

俺達は、笑顔《えがお》だった。ここ最近で一番爽快《そうかい》感に満ちた笑顔だった。

やったんだ。会長の暴走《ぼうそう》を……あの猪突猛進《ちょとつもうしん》会長の暴走を俺達は止めたんだ。

まるで世界を救ったかのような感慨《かんがい》があった。

真冬ちゃんが俺達にお茶を淹《い》れてくれる。俺達は視線《しせん》を交わし、そして、湯呑《ゆの》みで乾杯《かんぱい》した。

思えば、今までどれだけ会長の暴走で苦労を被《こうむ》ってきただろう。

そして……それをこうして事前に食い止められたことなんて、かつてあっただろうか。

俺達は確実《かくじつ》にレベルアップしている。会長捌《さば》きは、最早《もはや》世界レベルと言っていい。

そう。

会長捌きは、だ。


唐突《とうとつ》に、ガラガラと生徒会室の戸が開く。この唐突感は、確実に……。

「おー、諸君《しょくん》、集まってるなー！」

真儀瑠先生だ。俺達はもう特に驚《おどろ》くこともなく、会長は寝《ね》そべったまま……そして俺達は優雅《ゆうが》にお茶を飲んだまま、先生を迎《むか》え入れ——

「諸君《しょくん》、朗報《ろうほう》だぞ！　私が企画《きかく》を出した結果、ついさっきとあるメディアミックスが決定した！　喜べ！」

『…………』

ぴたりと止まる時間。

誰《だれ》も……動くことさえ出来ない。真儀瑠先生は、キョトンとしていた。

「おい、どうした？　そんなに震《ふる》えて……。そうかそうか。嬉《うれ》しすぎて武者震《むしゃぶる》いか」

『…………』

「んじゃ、ま、詳《くわ》しくは続報を待て。私は腹減《はらへ》ったんで帰る。じゃなー」

次の瞬間《しゅんかん》には、ガラガラピシャと戸がしまり、台風のような顧問《こもん》がさっさと帰っていく。

俺達は……全員、ただただ無言で、震え。

そうして。

数秒後。

『くっ……。……あはははははは！』

全員で、一斉《いっせい》に笑い出した。ここまで来ると、なぜか、可笑《おか》しくてしょうがなかった。

俺は、散々笑った後、暗い気分を仕切りなおし、そして、笑顔で切り出す。

「さて、皆《みんな》。そのうちまた面倒事《めんどうごと》舞い込《こ》んで来るらしいが……いっちょ頑張《がんば》ろうやっ！」

『はーい』

全員、満面の笑みでこちらを見る。

碧陽学園生徒会。

そこでは、アホみたいに前向きで、バカみたいに活気に溢《あふ》れた人々が今日も会議をしている。

【隠蔽《いんぺい》された後日談】

「さて、説明して貰《もら》おうかね」

ブランド物のスーツで身を包んだ壮年《そうねん》の男達が、一斉《いっせい》に真儀瑠紗鳥《まぎるさとり》を睨《にら》む。

会議室。わざわざ職員室《しょくいんしつ》の隣《となり》に作られたその部屋は、表向きは職員会議等のためにあるとされている。が……今のこの異質《いしつ》な現状《げんじょう》を見れば、それが決して、職員会議などという平和な目的のためではないことが察せられた。

真儀瑠紗鳥の表情《ひょうじょう》は、普段《ふだん》の生徒達に接《せっ》するその不敵《ふてき》なものではなかった。それどころか、今や表情に狼狽《ろうばい》さえ見られる。つまり……彼女を見つめている男達は、あの真儀瑠紗鳥よりも遥《はる》かに上位の……少なくとも権力《けんりょく》と知性《ちせい》を兼《か》ね備《そな》えた人間達のようだ。

「説明……とは？」

真儀瑠紗鳥が、まるで言葉の意味が分からないという風に、首を傾《かし》げる。その行動に、スーツの男達は表情をぴくりとも動かさなかったが、《スタッフ》と呼《よ》ばれる人員……この学園では教職や事務《じむ》として動いている者達の一団《いちだん》が、彼女を馬鹿《ばか》にした風に失笑《しっしょう》する。

スーツの男の一人が、大きなデスクの中心に向かって、乱暴《らんぼう》に一冊《さつ》の本を放った。

「これのことだが」

《生徒会の一存《いちぞん》》。そう、表紙にプリントされた本。続けざまにそしてもう一冊。《生徒会の二心《ふたごころ》》。

二冊を眺《なが》めて、真儀瑠紗鳥は黙《だま》り込む。

会議に参加している《スタッフ》と思われる者の一人……理事長はその様子を見て、なぜかニコニコと不気味に笑っていた。その様子にスーツの男の一人……本を投げた進行役と思われる男が、こほんと咳払《せきばら》いをする。

「どういうことかね」

真儀瑠紗鳥に訊《たず》ねかける。彼女は、直立したまま、歪《いびつ》な笑顔《えがお》で返した。

「なにがでしょう」

「とぼける場面を間違《まちが》えるな。見苦しいぞ」

「…………」

「まあ、いい。では言い直そう。この二冊に収録《しゅうろく》されている……プ、ロ、、、、ーグとエ、ピ、、、ロ、、、ーグ、は、ど、う、い、う、こ、と、だ」

「…………」

黙り込む真儀瑠紗鳥。知らぬ存ぜぬというよりは……むしろ、反論《はんろん》出来ずに黙り込んだようだ。額《ひたい》に汗《あせ》が滲《にじ》んでいる。

スーツの男達……十名程《ほど》の異様な貫禄《かんろく》を持った男達は、無表情のままだが、それが逆《ぎゃく》にこの状況《じょうきょう》の緊迫《きんぱく》感を煽《あお》っている。

進行役の男は、更《さら》に続けた。

「なぜ、《企業《きぎょう》》の最重要機密《きみつ》が、こんなところに収録されていると訊《き》いている」

「……さあ」

「そんな回答は許《ゆる》されんな、真儀瑠。キミの関与《かんよ》はこの際《さい》置いておいても、生徒会顧問《こもん》という立場である以上、この問題の責任《せきにん》はキミにある」

「…………」

真儀瑠紗鳥は、苦笑いをしていた。「自分達こそ二巻《かん》出るまで気付かなかったくせに」「生徒会を舐《な》めているのはどっちだ」などと考えているのだろうか。その脇《わき》で、理事長はまた可笑《おか》しそうに、声を殺して笑っていた。

無言を貫《つらぬ》く真儀瑠に、進行役の男は嘆息《たんそく》する。

「この場合の無回答は、自分の立場を守る手段《しゅだん》として、最低の部類に入るな」

「…………」

「《企業》のやり方を知らないキミではないだろう。疑《うたが》わしきは即座《そくざ》に罰《ばっ》す。キミがこれ以上反論しないのならば……分かっているね？」

その瞬間《しゅんかん》、スーツの男達、そして《スタッフ》達の視線《しせん》が、殺意さえ伴《ともな》ったそれとして、真儀瑠紗鳥に突《つ》き刺《さ》さる。

既《すで》に、彼女の動揺《どうよう》は見ていられない程だった。汗が、顎《あご》からぽたりと床《ゆか》に落ちる。

…………。

さて。

そろそろ、限界《げんかい》のようだな。

俺は。

イヤホンを外し。

モニタの電源《でんげん》を切り。

潜伏《せんぷく》場所の、架空《かくう》部活「空を飛部《とぶ》」の部室を出て。

校内を早足で歩き。

そして。

事前に入手していたキーで会議室の扉《とびら》を開き。

堂々と。

そこに、姿《すがた》を現《あらわ》した。

「どうも、今話題の生徒会です」

『――――』

目の前では、いい大人達が、俺《おれ》の姿を見て、唖然《あぜん》としていた。今まで無表情を貫《つらぬ》いていたスーツの男達さえ、動揺を隠《かく》せないように、目を見開いている。

そして誰《だれ》より……先程まで散々追い詰《つ》められていた真儀瑠紗鳥が……いや、真儀瑠先生が、ぽかんと口を開けていた。

そうして、呆然《ぼうぜん》と呟《つぶや》く。

「杉崎《すぎさき》……お前、なんで……」

その反応《はんのう》に、俺は、ニヤリと微笑《ほほえ》み。

威圧《いあつ》的に扉を閉める！

ガチャリと鍵《かぎ》をかける！

堂々と胸《むね》を張《は》り上座《かみざ》へと歩く！

この場の空気を……俺が、掌握《しょうあく》する。

そして、宣言《せんげん》。

「副会長の杉崎鍵《けん》です。こんにちは」

ニコリと、大人達に向かって挨拶《あいさつ》をし、一礼する。

途端《とたん》……ようやく、事態《じたい》の異常《いじょう》さに気付いたらしい《スタッフ》の一人……この学園では数学教師《きょうし》としてやっている小山《こやま》（独身。30代、男性《だんせい》）が、実に見事に演技《えんぎ》に入った。

「こら、杉崎。今は大事な職員《しょくいん》会議中だぞ。ダメじゃないか、入ってきちゃあ」

「職員会議？　じゃあ、このスーツの人達は誰なんです？」

「ＰＴＡの方々だよ」

咄嗟《とっさ》の割《わり》にはうまい言い訳だったが……俺は、苦笑《くしょう》した。嘘《うそ》をついている人間とは、それを理解《りかい》している側から見ると、どうしてこうも滑稽《こっけい》なのだろうか。

そろそろ立場を表明して、流れをガッチリ摑《つか》んだ方がいいだろう。

俺は、小山に向けて……もういちど、作り笑いをした。

「ああ、茶番は終わりにしましょうよ、《スタッフ》さん」

「…………」

小山は一瞬《いっしゅん》、口をぱくぱくとさせ……そして、次の瞬間には、周囲の《スタッフ》たる教師達と何かアイコンタクトをしたが……それを、俺は制《せい》した。

「おっと、下手なことはしない方がいいですよ。俺は、勢《いきお》いだけでここに闖入《ちんにゅう》しているわけじゃないです。言ってる意味、分かりますね？」

「く……」

……危《あぶ》ない危ない。この状況《じょうきょう》で取り押《お》さえられにかかったら、いくら俺でもまずかった。

さて。

「杉崎っ！　お前、なんでここにっ」

真儀瑠先生が慌《あわ》てて近寄《ちかよ》ってきて、小声で話しかけてくる。俺は、ニッコリと彼女に微笑んだ。ちなみに、これは作り笑いじゃない。

「大丈夫《だいじょうぶ》です。多分、俺は真儀瑠先生の味方です。貴女《あなた》が恐《おそ》らく俺達側であるように」

「お前……どこまで……」

「少なくとも、プロローグとエピローグ混入《こんにゅう》の犯人《はんにん》は俺ですよ、先生」

「っ！　お前が……」

「先生、かばってくれたんでしょう？　だったら、先生は俺達の味方です」

「……お前……一体……」

真儀瑠先生のどこか怯《おび》えるような視線《しせん》を尻目《しりめ》に、俺は、改めて上座の位置につく。

室内を見渡《みわた》す。約三十人の大人達の、敵意《てきい》ある視線。……ゾクゾクするね。

俺は……怖気《おじけ》づきそうになる気持ちを、自分で引き締《し》め直す。

大丈夫……大丈夫。

俺は、一年前の、俺じゃない。

今まではバッターボックスにさえ入れなかった。

敵《てき》の放ったボールが過《す》ぎ去って行くのを、ただただ見守るしか出来なかった。

でも。今度こそ、俺は、打席に入る。

三振《さんしん》でもいい。だけど、フルスイングだ。

打席に入ったからには、ホームランを狙《ねら》う。

誓《ちか》ったんだ。自分の大切なものは全部守れる男になるって。

誓ったんだ。俺のハーレムは、俺が、守るって。


「おい、キミ！」

司会役の男が、どうにか、声を発して注意してきた。……ここで空気を持っていかれるわけにはいかない。あくまで俺が、優位《ゆうい》に立つ！

俺は……。

（……会長……アンタの十八番《おはこ》、借りるぜ）

バンっと、威圧《いあつ》的に、机《つくえ》を叩《たた》く！

効果《こうか》覿面《てきめん》。びくっと動揺《どうよう》し、ざわめく大人達。

俺は……表情に余裕《よゆう》を取り戻《もど》し、そして、宣言《せんげん》した。

「では皆《みな》さん。そろそろ、反撃《はんげき》してもよろしいですか？」

私立碧陽学園生徒会

会

Hekiyoh School student council

あとがき

あとがき十一ページですって。……この書き出しを見て「あれ？　二巻手に取っちゃった？」と思ったそこの貴方《あなた》。大丈夫《だいじょうぶ》です。間違《まちが》ってません。これは「生徒会の三振《さんしん》」のあとがきです。

………まあ、何も言いますまい。大人ですから。富士見書房《ふじみしょぼう》さんにはいつも本当にお世話になっており、文句《もんく》なんてとても言える立場では御座《ござ》いませんから。

ええ。うん。……ただまあ、

ちょっとだけ泣いてきます。しばしお待ち下さい。

……よし、落ち着きました。失礼致《いた》しました。ただ、今気付いたのですが、落ち着いたところでどうしようもありません。何書けと。このひきこもり作家が、なにを十一ページも語ることがあるのかと。この三ヶ月の私の日常を文章にしたら、寝て、起きて、食べて、書いて、遊んで、寝た。

一行で終わります。改行で三行稼《かせ》いでやりましたが、これを水増しして十一ページにしろというのでしょうか、富士見書房は。

とりあえず、初《しょ》っ端《ぱな》から最終手段ですが、作品のことを語っておきます。

「生徒会の三振」。生徒会シリーズも三巻です。三巻も費《つい》やして、登場キャラ達がこれほど成長しない作品も珍《めずら》しいのじゃないでしょうか。これまでに起こった事件、0ですよ。戦闘力《せんとうりょく》が上がった人、皆無《かいむ》ですよ。倒《たお》した敵の数、0人ですよ。

ただ、既《すで》に本編読了《どくりょう》された方は分かると思いますが、今回はエピローグでちょっと状況が動いています。この流れだと四巻はシリアス一直線に思えますが、やっぱり今まで通りですので、あまりご心配なく。あくまで、ギャグをより楽しむためのシリアスです。

四巻予告ですが……二巻あとがきの例の「定型予告文章《ていけい》」の「○巻」の所に、「四」と入れて下さればそれで終わりです。シリーズ要素に関しては、ちょろっと状況変化してますが、だからどうしたという話です。そういう人達です、生徒会メンバーは。

あと、実は次に出る本は四巻じゃないです。主にドラゴンマガジン掲載《けいさい》分を纏《まと》めた、短編集です。……って、元《もと》から短編集ですけど。

一応従来の括《くく》りから言えば「番外編」たる本なハズなんですけど、そもそも生徒会シリーズってギャグが本編なので、充分《じゆうぶん》本編なような。

いつもとの違いを列記《れつき》しておくと。

・ドラゴンマガジン掲載短編は、富士見書房ネタ多目
・杉崎《すぎさき》以外を主人公にした、番外編らしい番外編もあり
・何気に、一巻で凄《すご》く気になる存在だった「義妹《いもうと》」が過去編で初登場してたり

という感じ。……な、なんか、いつもよりちゃんと話進んでいる気がします。番外編のクセに。むしろ番外編の方が、ちゃんとやっているような……。

とはいえ、基本的には総《そう》じてギャグです。語り方や登場人物が違えど、やっぱりギャグはギャグなのです。ですから、四巻でこそありませんが、ある意味こっちも本編なので、どうぞチェックしてやって下さいませ。秋発売予定で御座います。

さて、予告は終わってしまいましたが、まだ報告は残っています。

実は生徒会、漫画化《まんがか》します！　ドラゴンエイジピュアＶｏｌ.12（二〇〇八年八月二十日

発売）から、10mo《トモ》さん作で、連載《れんさい》開始です！　10moさんの描《えが》く、小説とは一味違った漫画ならではの生徒会を、是非《ぜひ》お楽しみ下さい。

　ちなみに、この本「生徒会の三振」と同時発売のドラゴンマガジンの方で、詳《くわ》しく告知されていたりします。なんと、小説から漫画へと繋《つな》がる、お試《ため》し短編「漫画化する生徒会」が掲載！　しかも今月（二〇〇八年七月）のドラマガ表紙は会長！　というわけで、興味《きょうみ》ある方は是非そちらもご覧《らん》になってみて下さい。

　ここだけの話。漫画版を一番楽しみにしているのは私だったりします。私も監修《かんしゅう》しているとはいえ、自分以外の人が生徒会に新たな味付けをして描いてくれるっていうのは、初めての経験《けいけん》で。

　自分の書いた物語が小説以外のフィールドで動くというのも、とても不思議《ふしぎ》。……しかも、よりにもよって生徒会ですよ。私の書いてきた作品史上、最《もっと》も動きの無い作品がメディアミックスするとは……人生、分からないものです。

　さて。……報告関連も終わっちゃった……。結構《けっこう》色々あったのに、まだ半分埋《う》まって無い……。

いえ、趣味《しゅみ》について語ったりすればいいとは思うのですが、自分のブログでならまだしも、一応商業作品である以上、あんまりにプライベートすぎること書いちゃって読者さん置き去りにしても申し訳ないですし。

裏話捏造《ねつぞう》も、前回やってしまいましたし。

生徒会の予告と言っても、四巻や五巻の内容をネタバレするのも――

いや。

いっそのこと、遥《はる》か未来の生徒会を予告してみましょうか。

《生徒会の三十路《みそじ》～碧陽《へきよう》学園生徒会議事録30～》

杉崎鍵《けん》は留年《りゅうねん》に留年を重ね、遂《つい》に高校生のまま三十路になってしまった。これまで何代もの生徒会女子達を攻略《こうりゃく》しようと奮起《ふんき》してきた彼だが、未《いま》だにその野望は達成できず。今日も彼は生徒会の中心で叫《さけ》び続ける。

「俺は美少女ハーレムを作る！………四十歳までに……」

どんどん下がり続けるハードル！　自分を甘《あま》やかしまくる主人公！　彼の転落人生は、

一体どこでストップするのかっ！

そして、五年前に倒したハズの、再び迫《せま》り来る究極《きゅうきょく》の殺人鬼《さつじんき》《ジ》との再戦の行方《ゆくえ》やいかに！　迷走《めいそう》に迷走を続ける生徒会シリーズ、遂に三十巻に突入《とつにゅう》！

キミは今、富士見書房の限界を目撃《もくげき》する！


……イヤすぎます。そんな三十巻、絶対イヤです。実際長寿《ちょうじゅ》シリーズ化しても、そうはならないようにしたいところです。

となれば……変化をつけて、第二世代？


《生徒会の百合《ゆり》～碧陽学園生徒会議事録１００～》

杉崎扉《どあ》。十五歳。絶倫魔王《ぜつりんまおう》と恐《おそ》れられた祖父《そふ》、杉崎鍵の意志をついで碧陽学園に入学してきた少女である。

「じっちゃんが生涯唯一《しょうがいゆいいつ》成し遂《と》げられなかった偉業《いぎょう》……《生徒会ハーレム》を、ウチは作ってみせる！　じっちゃんの名にかけたりなんかして！」

遂に、彼女の碧陽学園征服《せいふく》が始まる！

世代を超え受け継《つ》がれる想《おも》い！　今、物語は新世代へ！

キミは今、富士見書房の暴走《ぼうそう》を目撃する！


……なんか微妙《びみょう》に読みたい気がしないでもないです。誰《だれ》か書かないでしょうか、これ。

え、私？　断固《だんこ》として、拒否《きょひ》します。

そもそも、そこまで長くなったら、もういっそ方向性を一新《いっしん》してしまうべきなんじゃないでしょうか。飽《あ》きの回避《かいひ》のためにも。ならば……。


《生徒会の八百万《やおよろず》～碧陽学園生徒会議事録8000000～》

碧陽学園生徒会。それは、古《いにしえ》からの歴史を持つ戦闘集団である。最早《もはや》その発祥《はっしょう》さえ不明だが、とにもかくにも、「碧陽学園」というものが存在しない今となっても、その組織《そしき》名だけは脈々《みゃくみゃく》と受け継がれていた。

そんな生徒会入隊試験に、今年、一人の少年が挑《いど》もうとしていた。

田舎《いなか》の村で暮《く》らしつつも、生徒会に憧《あこが》れ、魔法《まほう》と剣《けん》の鍛錬《たんれん》を怠《おこた》らなかった『努力する才能』の持ち主、ウィンドウ＝スギサキ。入隊試験のその日、彼は記憶《きおく》を失った少女チェリーと運命的な出会いを果たす！

生徒会シリーズ、遂に新章突入！　ウィンドウとチェリーの、世界再生の旅が今始まる！

キミは今、なんだかんだいって原点に戻ってきた富士見書房を目撃する！


……なんか、むしろそれでいい気がしてきました。王道《おうどう》で。読みたいし、書きたいです。

まあ、生徒会シリーズである意味は一切《いっさい》ないですけどね。

っていうか、「八百万」を書く頃《ころ》、私は一体何歳なんでしょうか。そこまで書いてるんだったら、もう、それだけで評価《ひょうか》してあげるべきじゃないでしょうか、私。人間国宝《こくほう》じゃないでしょうか。歴史に名を残しまくりじゃないでしょうか。

……よし、元気が湧《わ》いてきました。「八百万」が書けるよう、努力していきたいと思います。


さて、あとがきを書いているうちに作家としての方向性が決まったりしましたが、まだページ残ってます。こ、これだから十一ページはっ！

なんかこう、小学生の頃《ころ》の作文で、必死にマスを埋《う》めようとしていた記憶がフラッシュバックしてきましたよ。高校の時「魯迅《ろじん》についての論文を原稿用紙五十枚分提出しろ」と言われた時の、もう無理矢理《むりやり》色んなところから情報引っ張ってきて羅列《られつ》しまくった記憶さえフラッシュバックしてきましたよ。

小説に関してこういう感情に襲《おそ》われたことは一度も無いのですけどね……。

あとがきって、やればやるほど独特《どくとく》の媒体《ばいたい》です。自分のこと語ると言っても、ブログやエッセイであるわけでもなく。

となれば作品のことを語るべきなのですが、その解説《かいせつ》にしても、詳《くわ》しくやりすぎてもいけなかったり。先にあとがきを読む人のことを考えれば、この本の内容を前提《ぜんてい》に話せることも少なく。内容前提に出来ない状態《じょうたい》では、それこそ概念《がいねん》的なことを語ったりするしかなく。でも、この生徒会に関して言えば、特に重いテーマを掲《かか》げるようなタイプの作品でもないため、本格的に語ることが……。

その状態での十一ページ。……正直、どんな原稿依頼《いらい》よりキツイです(笑)。

私、作文で何が一番怖《こわ》いかって、「自由に書いていい」です。作文以外でも、私は「自由にしていい」と言われるのが、ホント苦手です。

となると作家なんか向いてなさそうなもんですが、これがそうでもないのです。小説を書くって、実際《じっさい》は、自分で自分を囲《かこ》っていく行為《こうい》ですから。

お気に入りのフィールドで、好きなことをやって過ごすっていうのは、作文とは違って爽快《そうかい》なものなのですよ。もし作文が苦手で、それが理由で小説を書くことを躊躇《ためら》っている方がいらっしゃったら、一度執筆に挑戦《ちょうせん》してみることをオススメします。

広大な砂漠《さばく》のど真ん中で「自由にしろ」と言われたら途方《とほう》に暮《く》れてしまいますが、バスケットコートでボールを渡されて「自由にしろ」と言われたら、喜んでバスケして遊びますでしょう？　そういう、ことです。……つ、伝わったでしょうか、これ。

そう考えると、「作品を解説する」っていう目標があるあとがきは書きやすそうですが、しかし、十一ページとなるとちょっと別でして。うーんと……体育館でトランプ渡《わた》された感じでしょうか。やることはあるのですが、持て余すというか。

うん……実は弱音吐《よわねは》いただけなのですが、なんか結構作家っぽいことを言った気がします。よし、あとがき大体終わりっ！

では、最後に謝辞《しゃじ》を。

まず、三巻においても素晴らしい美麗《びれい》イラストを描きおろしていただきました狗神煌《いぬがみきら》さん。深夏の表紙を見た際、「なんで毎回こうもピンポイントなイラストを……」と、そのクオリティにまたも感動させられてしまいました。……イラストに恥《は》じない執筆《しっぴつ》をしないとと、身も引き締《し》まります。ありがとうございました。

そして、担当《たんとう》さん。…………。……十一ページもあとがきをプレゼント下さりやがりまして、ありがとうございました。いえ、まあ、別に担当さん悪いわけじゃないんですけどね、本当は(笑)。とにもかくにも、これからもよろしくお願いします。……ホント、よろしくお願いします。

それでは。次巻こそ……次巻こそあとがきが丁度《ちょうど》いい塩梅《あんばい》であることを願いつつっ！

葵　せきな

富士見ファンタジア文庫

生徒会《せいとかい》の三振《さんしん》

碧陽学園生徒会議事録3

平成20年7月25日　初版発行
平成21年10月10日　十二版発行

著者――葵《あおい》せきな

発行者――山下直久

発行所――富士見書房
〒102-8144
東京都千代田区富士見1-12-14
http://www.fujimishobo.co.jp
電話　営業　03(3238)8702
　　　編集　03(3238)8585

印刷所――暁印刷
製本所――BBC

ISBN978-4-8291-3313-2 C0193